2

IN HET WEB VAN EEN LOVERBOY

J.F. van der Poel

In het web van een loverboy

CITERREEKS

Eerste druk in deze uitvoering 2004

© 2004, Uitgeverij De Groot Goudriaan, Kampen
Omslagillustratie Hans Ellens
ISBN 90 5977 070 6
NUR 344

NAMEN VAN PERSONEN IN DIT BOEK:

Regina Vernoot . . . . Hoofdpersoon
Arie Birk . . . . Tweede vader van Regina
Thea Birk . . . . Moeder van Regina

Evert Vonders . . . . Vriend van Regina
Elly Vonders . . . . Moeder van Evert

Ricky Leder . . . . Lover boy
Dennie Vernoot . . . . broer van Regina
Nico . . . . Vriend van Ricky
Van Welder . . . . Inspecteur van politie

1

Een felgele scooter racet door de straten met daarop een meisje met lang blond haar. Ze vliegt van het fietspad de weg op en stopt voor het stoplicht. Als het stoplicht op groen springt, geeft ze volop gas en racet de smalle straatjes door, totdat ze uit alle macht remt voor een supermarkt. Ze zet haar scooter op de plaats die bestemd is voor het personeel en rent achterom naar de personeelsingang.

'Oei... net op tijd,' zegt ze tegen een van de meisjes die ook niet een van de eersten is.

'Rustig aan maar, hoor,' antwoordt het meisje.

'Heb jij kassadienst?' vraagt Regina.

'Nee, jij wel?'

'Ja joh...'

'Er zijn toch nog geen klanten.'

'Dat weet je maar nooit. Er zijn vaak van die vroege vogels die komen om een pakje shag en dan willen ze wel kunnen afrekenen,' zegt Regina terwijl ze snel haar jasschort aandoet.

Als ze naar de kassa loopt en ziet dat er een ander meisje op haar plaats zit, vraagt ze: 'Heb jij ook kassadienst?'

'Nee, maar er waren al een paar klanten. De baas heeft er behoorlijk de pest over in,' antwoordt het meisje.

Regina haalt haar schouders op en kijkt even rond; dan hoort ze een stem achter zich: 'Zo dame, kom je ons toch nog even gezelschap houden?'

'O... sorry... ik ben wat laat en had alle stoplichten tegen.'

'Ja, dat kennen we, dan ga je in het vervolg maar eens wat vroeger van huis.'

'Oké... doe ik,' antwoordt Regina terwijl ze ruilt met het

meisje achter de kassa en de volgende klant helpt.

De andere kassa's zijn nog niet open.

's Morgens tegen negen uur begint het toch al aardig druk te worden en zijn er al veel mensen in het winkelcentrum. Zeker op dinsdag, als er ook markt in het dorp is, zijn de mensen nog vroeger dan anders.

'Heb je die nieuwe al gezien?' vraagt een van de meisjes die langs haar kassa loopt.

'Welke nieuwe?' vraagt Regina terwijl ze ondertussen afrekent met een mevrouw. Ze geeft haar het wisselgeld zo in de hand.

'Dat hoort zo niet, meisje,' zegt de mevrouw, terwijl ze het wisselgeld natelt.

'Klopt het dan niet?'

'Je hoort het netjes uit te tellen en niet zo alles in een keer in mijn hand te stoppen.'

'Het klopt toch, of niet?' zegt Regina die niet tegen zeurende klanten kan en zeker niet op de vroege morgen.

De vrouw kijkt haar nog eens lelijk aan en zegt: 'Het is overal hetzelfde tegenwoordig.'

'Gelukkig maar, dan val ik ook niet op,' lacht Regina brutaal naar haar.

'Wat een onbeschoft kind... hier zien ze mij voorlopig niet meer terug,' zegt de vrouw terwijl ze haar hoofd schudt en wegloopt met haar wagentje.

'Dag mevrouw, nog een fijne dag,' roept Regina haar achterna.

'Jij bent me er een,' zegt het meisje dat een praatje met haar kwam maken en het vak bij de kassa vult met sigaretten en shag.

'Wat zei jij net over een nieuwe?'

'Een leuke vent, joh.'

'Jij hebt toch verkering?'

'Dat zegt niks en ik hoef toch voor een de hele wereld niet te haten,' antwoordt het meisje.

'Daar heb je gelijk in.'

'Het is trouwens meer vriendschap met die jongen waar ik mee ga.'

'O… dan mag je best af en toe een ander nemen,' lacht Regina.

'Kijk, hij is daar bezig met vakken vullen.'

'Die vent met dat donkere haar?'

'Ja… ken je hem?'

'Nee, nooit eerder gezien.'

'Niet gek, hè?'

'Zo in de verte lijkt het wel wat,' lacht Regina.

'Iets voor jou, joh.'

'Nee, geen vakkenvuller,' antwoordt Regina met een neerbuigend lachje.

'Jij zit ook maar gewoon achter de kassa.'

'Nou en…'

'Jij denkt zeker een rijke bink aan de haak te slaan?'

'Voor een avondje uit vind ik zo'n jongen wel aardig, maar verder niks.'

'Laat mij niet lachen… je hebt bijna elke week een ander.'

'Dat denk jij, het zijn gewoon vrienden waar ik mee omga,' antwoordt Regina.

Als Regina al een uur achter de kassa heeft gezeten, wordt ze afgelost en mag ze ander werk doen. Ze gaat helpen met vakken vullen en knoopt gelijk een gesprek met de nieuwe jongen aan. Ze geeft hem een hand en stelt zich voor: 'Regina Vernoot…'

'Evert Vonders,' antwoordt de jongen.

'Werk je hier al lang?' vraagt Evert terwijl hij een doos openmaakt en wat blikjes in de schappen zet.

'Bijna een jaar.'

'Studeer je nog of zo?'

'Nee. Studeren laat ik aan de bollebozen over. Je krijgt er alleen maar koppijn van,' lacht Regina.

'Ik studeer nog en kan hier mooi wat bijverdienen,' zegt Evert.

'Waar studeer je voor?'

'Ik heb eerst de opleiding voor verpleegkundige gedaan en nu probeer ik door te gaan voor arts...'

'Wat zoek je hier dan? Je kunt dan toch beter een baantje in het ziekenhuis nemen?'

'Dat gaat niet zo eenvoudig. Je krijgt er geen kans voor. Ik heb wel een tijdje stage gelopen in een ziekenhuis, maar toen de stagetijd voorbij was, kon ik gaan. Voor mij in de plaats kwam er weer een ander. Nu studeer ik medicijnen en probeer hier wat bij te verdienen,' legt Evert uit.

'En ze komen personeel te kort in het ziekenhuis.'

'Dat dacht ik ook. Er staan bedden leeg omdat er geen personeel is. Je moet wel bijna doodgaan wil je opgenomen worden in het ziekenhuis.'

'Echt waar?'

'Zeker weten.'

'Het zal toch wel meevallen?'

'Nee, op zich is er personeel genoeg, maar er is geen geld om dat personeel te betalen,' legt Evert uit.

'Maar de zorg is toch het belangrijkst.'

'Wie wil er voor niks werken?'

'Daar heb je gelijk in.'

'Ga je mee... het is koffietijd.'

'Mag dat zomaar?'

'Het is al tien uur geweest en ik heb al een uur achter de kassa gezeten en al vakken gevuld en ben dan ook wel aan koffie toe,' antwoordt Regina terwijl ze de lege dozen op een wagentje gooit en richting het magazijn rijdt.

Als ze aan een tafeltje zijn gaan zitten en Regina voor hen beiden een kopje koffie uit de automaat heeft gehaald, pakt ze een plastic zakje met brood uit haar rugtas en vraagt aan Evert: 'Heb jij geen brood bij je?'
'Nee... ik dacht dat we wel wat bij de koffie zouden krijgen.'
'Je werkt hier niet in een snackbar. Je kunt hier wel wat koeken of zo kopen, of wil je een boterham van mij?'
'Heb je zelf dan wel genoeg?'
Zonder antwoord te geven geeft Regina hem een boterham en zegt: 'Eet op, man.'
'O... dank je, morgen breng ik zelf brood mee en krijg je hem weer terug.'
'Dat hoeft niet.'
Evert merkt dat hij tegenover een knap, vlot meisje zit, met mooie blauwe ogen die brutaal de wereld in kijken en lang blond haar. Ze is ook netjes gekleed, heel anders dan andere meisjes die hij kent. Ze draagt een rok en is ook niet opgemaakt. De andere meisjes die hier werken dragen allemaal spijkerbroeken en zien er niet zo aantrekkelijk uit. Waarom zit hij nou net met dit meisje hier aan tafel in de kantine tijdens de pauze...? Zou ze hem ook aardig vinden? Hij heeft veel vrienden en ook vriendinnen, maar dit meisje is zo anders... zo echt. De meisjes die hij kent giechelen alleen maar en je kunt er geen normaal gesprek mee voeren...
'Dus jij gaat in een ziekenhuis werken?'

'Dat was wel mijn bedoeling, ja. Om mijn hele leven vakken te vullen lijkt mij ook niks,' lacht Evert.

'Dit werk wordt meestal door studenten gedaan als bijbaantje,' antwoordt Regina.

'Waarom studeer jij niet meer?' vraagt Evert.

'Waarom zou ik?'

'Je bent nog jong en je hele leven hier werken lijkt mij maar niks.'

'Dat heb je goed gezien,' antwoordt Regina kort.

'Wat heb je voor opleiding?'

'Mavo… hoezo?'

'Dan kun je toch een kantoorbaan krijgen?'

'Als jij er voor kunt zorgen. Prima joh.'

'Heb je het dan al geprobeerd?'

'Dat wel… maar ze zijn niet tevreden over mij.'

'Dus je hebt al op een kantoor gewerkt?'

'Twee weken, toen ging het al mis met de computer.'

'Kun je er niet mee omgaan?'

'Dat wel… maar ik ging er gekke dingen mee doen in de pauze.'

'Dan krijg je moeilijkheden, dat had je kunnen weten,' zegt Evert eerlijk.

'Volgens mij ben jij een brave jongen. Je moet zelf wat uit het leven halen, anders maken ze misbruik van je. Moet jij je eens voorstellen: de hele dag achter zo'n computer en dan ook nog op je kop krijgen.'

'Heb je het hier dan wel naar je zin?'

'Nee!' antwoordt Regina kort.

'Waarom studeer je dan niet verder?'

'Daar krijg je koppijn van, heb ik toch gezegd,' antwoordt Regina onverschillig.

Dan komt er nog een meisje bij hen aan tafel zitten en

komt Evert niet meer aan het woord. Hij staat op en gaat weer verder met het vullen van de schappen. Hij heeft er niet helemaal zijn hoofd bij. Steeds ziet hij die mooie grote blauwe ogen die hem zo open aankijken en dat lange blonde haar en in gedachten hoort hij haar stem... Ze is gewoon... hij is er helemaal van in de war. Dit meisje heeft iets... hij kent haar net en toch zit haar beeld vast op zijn netvlies en kijkt hij steeds om zich heen of hij haar nog ergens ziet.

Als het zes uur is geweest, pakt Regina haar scooter en wil wegrijden.
'Wat een leuk ding, zeg...'
'O... ben jij het.'
'Is die van jezelf?'
'Wat dacht je dan?'
'Lijkt mij best duur.'
'Tweedehands valt het nog wel mee,' antwoordt Regina.
Evert pakt zijn fiets en gaat naast haar rijden.
'Als je mij vasthoudt, dan trek ik je mee,' zegt Regina.
Evert houdt haar arm vast en kijkt haar wat verlegen aan.
Regina geeft gas en dan rijden ze naast elkaar op de weg. Het is soms wel uitkijken en dan laat Evert haar los. Verderop wacht ze hem dan op.
'Moet je nog ver fietsen?'
'Nee hoor, en jij?'
'Een paar straten verderop woon ik. In die grote flat daar.'
'O...'
'Waar woon jij?'
'In dat witte huis op de hoek van de Kerkewijk.'
'Woon jij echt in dat huis?'
'Vind je dat gek?'
'Nee, natuurlijk niet, daar moeten toch ook mensen in

wonen, maar dan zal je vader wel een goede baan hebben?'

'Hij doet zelf in huizen. Hij is makelaar.'

'Waarom ga je niet bij je vader werken?'

'Het zakenleven trekt mij niet zo. Ik ga liever met mensen om.'

'Je vader gaat toch ook met mensen om?'

'Zelf voel ik het als een soort roeping om in de verzorging te gaan werken.'

'Daar word je ook niet rijk van.'

'Dat hoeft van mij ook niet.'

'Daar kom je nog wel achter. Geld en geluk maken op deze wereld het leven uit!' roept Regina terwijl ze vol gas weg scheurt naar de flat waar ze met haar moeder woont.

'Zo, ben je daar eindelijk?'

'Zeur niet!'

'Jij moet niet zo'n grote mond geven. Ik ben nog steeds je moeder, Regina!'

'Zeur dan niet zo. Ik heb al genoeg gezeur van mensen aan de kassa aan moeten horen.'

'Dan had je op school moeten blijven en door moeten leren. We hebben je genoeg gewaarschuwd. Je broer heeft nu een goede baan.'

'Makkelijk praten… toen leefde papa nog en die heeft gezorgd dat hij een goede baan kreeg.'

'Als Dennie zijn studie niet had afgemaakt, dan had hij ook die baan niet gekregen.'

'Nou… en gelukkig dat hij nu is met zo'n vrouw.'

'Je moet niet altijd vitten op zijn vrouw.'

'Ze verdienen samen een smak geld en ze zijn zo gierig als maar kan.'

'Ze sparen voor een eigen huis en het leven is duur; dat

zou jij moeten weten als je achter de kassa in zo'n supermarkt werkt.'

'De mensen gaan anders met wagens vol de winkel uit. Het lijkt of iedereen geld genoeg heeft.'

'Dat lijkt maar zo. Je weet dat wij het best moeilijk hebben om rond te komen.'

'Waarom gaat u dan niet werken?'

'Dat kon niet vanwege mijn ziekte...'

'Er zijn wel meer mensen overspannen die toch gewoon werken of proberen de WAO in te komen. Nu moet u leven van een klein weduwepensioen van pa.'

'Ik wil hier niks meer over horen!' zegt haar moeder Thea fel.

Als ze aan tafel zitten, horen ze een sleutel in de voordeur steken en komt er iemand naar binnen.

'Hoi... ik ben het maar...' zegt een zware mannenstem.

'Arie... ik dacht dat je in het buitenland zat...?'

'Nee... het ging niet door en ik kreeg een rit in het binnenland,' legt Arie, de vriend van Thea, uit.

'Wil je mee-eten?'

'Als er nog wat over is... graag.'

'Ga maar naar de Chinees,' flapt Regina eruit.

'Regina doe niet zo brutaal tegen Arie.'

'Wat heb ik met hem te maken? Hij komt alleen om jou,' zegt Regina kort.

Arie gaat aan tafel zitten en vraagt om stilte; hij vouwt zijn handen en bidt.

Wat een schijnheilige, denkt Regina die hem niet vertrouwt als hij zo verliefd naar haar moeder kijkt.

Als Arie gelezen en gedankt heeft – steeds meer komt er een gevoel van haat tegen hem in Regina omdat hij de plaats van haar vader probeert in te nemen – rent ze de kamer uit en gaat naar haar kamer.

'Wat heeft ze?' vraagt Arie terwijl hij Thea aankijkt.

'Ze is de laatste tijd steeds zo tegendraads en brutaal.'

'Het lijkt mij dan ook verstandig om niet te lang te wachten met trouwen...' zegt Arie terwijl hij Thea liefdevol omhelst en haar kust in de keuken. Ze gaan zo in elkaar op dat ze niet merken dat Regina de keuken in komt en zegt: 'Gaat het lekker?' Ze lacht vals.

Arie laat Thea los en gaat voor Regina staan terwijl hij zegt: 'Je weet al een tijdje dat ik veel van je moeder houd en dat ik met haar wil trouwen... je hebt geen reden om verkeerde dingen van ons te denken.'

'Laat mij niet lachen. Als ik niet thuis ben, zal het nog wel erger zijn. Nu klitten jullie al aan elkaar. Mijn vader is nog geen twee jaar geleden gestorven...' verder komt Regina niet. Er lopen tranen over haar wangen, van verdriet en van haat tegenover haar moeder en deze man.

Ze gaat opnieuw naar haar kamer en pakt het lijstje met de foto waar ze samen met haar vader op staat. Zachtjes snikt ze: 'Nooit zal er een ander zijn, pa... u alleen bent mijn lieve papa... er zal nooit een ander zijn...'

2

Regina heeft een vrije dag. Het is voor haar een pijnlijke dag. Ze wist dat die dag eens zou komen.

Ze ligt nog in bed terwijl haar moeder haar al een paar keer heeft geroepen. Ze hoort beneden in de kamer een cd spelen. Het is de lievelings-cd van haar vader: 'Ik heb geloofd en daarom zing ik'. In gedachten hoort ze haar vader meezingen. Vooral als hij onder de douche stond, kon hij echt mooi zingen. Haar vader hield van christelijke liederen en psalmen. Je voelde dat het echt uit zijn hart kwam als hij zong. Nu klinkt dat lied door het huis en ze hoort ook haar moeder meezingen.

Tranen lopen over Regina's wangen. Hoe kan haar moeder haar dit aandoen? Trouwen met een andere man... haar moeder gaat vandaag trouwen met Arie... papa is pas twee jaar geleden gestorven. Zou haar moeder vandaag echt blij kunnen zijn... Heeft ze dan wel echt van haar vader gehouden... Regina veegt haar tranen weg.

Ze hoort opnieuw haar moeder roepen dat ze op moet staan. Ze mag deze dag niet kapotmaken. Het is toch haar moeder die gaat trouwen. Arie is altijd vrijgezel gebleven en woonde bij zijn moeder. Hij is vrachtwagenchauffeur en via de kerk heeft ze Arie leren kennen. Hij is best aardig tegenover haar en wil haar als zijn dochter aanvaarden, maar dat zal niet kunnen... nee, nooit. Arie zal nooit haar vader kunnen vervangen... Opnieuw lopen er tranen over haar wangen terwijl ze haar moeder weer hoort zingen.

Kan haar moeder nu echt blij zijn... denkt ze dan niet terug aan al die jaren dat ze samen met papa was... Ze waren pas vijfentwintig jaar getrouwd. Ze hadden toen een groot feest gegeven. Een jaar daarna werd pa erg ziek... binnen een paar maanden was hij er niet meer... waarom...?

Regina droogt opnieuw haar tranen en loopt naar de badkamer en doucht zich.

Als ze voor de spiegel staat en haar spiegelbeeld ziet, dan kijkt ze in de ogen van haar vader... hij had datzelfde blonde haar als zij en hij kon haar ook zo aankijken. Ze ziet het gezicht van haar vader. Soms zeggen mensen die haar vader goed gekend hebben: 'Kind, wat lijk jij op je vader.'

Snel draait zij zich om en loopt terug naar haar kamer. Ze kleedt zich aan en gaat naar de woonkamer.

'Waarom sta je nou zo laat op?' vraagt haar moeder.

'Heeft u haast vandaag?' vraagt Regina onverschillig terwijl ze naar de keuken loopt, aan het tafeltje gaat zitten en een sneetje brood smeert.

'Die nieuwe jurk staat je goed,' zegt Thea.

Regina geeft geen antwoord.

'Hoe vind je mijn mantelpakje?'

Regina knikt vaag.

'Het is een mooie dag vandaag. We hebben geluk... de zon scheen al vroeg vanmorgen... ik ben een beetje nerveus...' zegt Thea, terwijl ze haar dochter aankijkt.

'U zult het best overleven,' antwoordt Regina kort.

'Waarom ben je nou niet wat vrolijker...?'

'Waarom zou ik?'

'Het is mijn trouwdag, Regina...'

'Moet ik daar blij om zijn?'

'Regina, ik begrijp best dat je... nou ja...' verder komt haar moeder niet.

'U begrijpt er niks van... ook helemaal niks!' valt Regina

uit, terwijl ze opstaat, naar de kamer loopt en een andere cd opzet.

'Doe alsjeblieft die cd uit!'

Regina zet hem nog harder.

Thea zet hem uit en kijkt haar dochter aan terwijl ze zegt: 'Regina, we hebben het er al vaak over gehad en ik heb je uitgelegd, dat ik van Arie houd... Je vader... echt ik ben hem niet vergeten en hij zou het ook goedkeuren dat ik met Arie trouw.'

'Nee, nooit!' schreeuwt Regina tegen haar moeder.

'Toch wel, Regina... hij wilde niet dat ik heel mijn leven om hem zou blijven treuren en alleen bleef.'

'Dat heb ik nooit van pa gehoord... hij hield veel van u.'

'Het is al twee jaar geleden, Regina, en ik ben van Arie gaan houden.'

'Papa blijft mijn vader en nooit zal hij uit mijn leven gaan voor een ander.'

'Dat hoeft ook niet, kind... ik begrijp je heus wel en Arie ook. Je moet een voorbeeld nemen aan je broer. Hij geeft mij groot gelijk en wil niet dat ik alleen blijf. Hij kan ook goed met Arie opschieten.'

'Ja, die koude kikker van een broer van mij... en die vrouw van hem heeft helemaal geen gevoel in haar lijf!'

'Je weet niet wat je zegt, Regina. Dennie en zij hebben de hele bruiloft geregeld... het moet vandaag een feestdag worden, Regina. Je zult het pas begrijpen als je zelf een jongen hebt waar je van houdt.'

'U bent getrouwd geweest met mijn vader en dat vergeet u gewoon.'

'Moeten we het daar nu weer over hebben... kom, wees nu vrolijk en probeer mij te begrijpen.'

'Dat kan ik niet.'

'Waarom niet?'

'Omdat u gaat trouwen met een andere man dan papa.'

'Dat weet je al een tijd en moet je dan nu op mijn trouw-dag zo moeilijk gaan doen... Je vader is er niet meer en we moeten verder in dit leven. Natuurlijk zal ik je vader nooit vergeten... Je moet niet denken dat het voor mij zo gemak-kelijk is...'

'Het lijkt er anders wel op. Jullie kennen elkaar nog maar kort,' zegt Regina nu fel.

'Het is niet goed op onze leeftijd lang te wachten. Arie wil ook niet langer wachten. De mensen gaan verkeerde dingen van ons denken als Arie vaak bij ons in huis is.'

'Wat kunnen mij de mensen schelen,' zegt Regina kort.

'Je weet heel goed wat ik bedoel.'

'Nee, dat weet ik niet.'

'Doe niet zo onnozel. We gaan in de kerk trouwen en dat willen we eerlijk en oprecht doen.'

'Wat maakt het uit? Er zijn zoveel mensen die samenwo-nen en ook later in de kerk trouwen.'

'Arie is een oprecht christen en hij heeft nooit een vrouw gehad,' zegt Thea tegen haar dochter die haar uitdagend aankijkt.

'Bedoelt u dat Arie nooit en dat jullie nooit...'

'Regina... nu ga je te ver... Zo is Arie niet en ik zou het ook niet willen en daarom gaan we ook zo snel mogelijk trouwen,' antwoordt Thea, terwijl ze haar dochter met be-traande ogen aankijkt.

'Wat kan mij het allemaal schelen,' zegt Regina terwijl ze de deur uit wil gaan.

'Waar ga je heen?'

'Even een luchtje scheppen.'

'Denk erom dat je op tijd weer terug bent... om twaalf uur

vertrekken we hier van huis.'

Regina geeft geen antwoord en loopt de flat uit, pakt haar scooter en racet weg. Als ze achteromkijkt, ziet ze haar moeder op het balkon staan.

Regina rijdt het dorp uit. Ze weet zelf niet waarheen. Ze moet frisse lucht hebben. Ze geeft volop gas en haar blonde lange haren wapperen achter haar aan. Tranen lopen over haar wangen... ze kan dit niet verwerken.

Aan het einde van de morgen als de meeste familieleden aanwezig zijn in de flat, vraagt Thea aan haar zoon Dennie: 'Is Regina er nog niet?'

'Nee. Hoe laat is ze hier weggegaan?'

'Ongeveer half elf... ze was weer zo boos.'

'Heeft ze niet gezegd waar ze heenging?'

'Nee... ik riep haar nog achterna dat ze voor twaalf uur terug moest zijn.'

Dennie pakt zijn mobiel en toetst het 06-nummer van Regina's mobiel in.

'Ze neemt niet op.'

Hij probeert het nog een paar keer.

'Wat moeten we nou?' vraagt Thea ongerust.

'Ze heeft altijd kuren. Ze zal wel op het laatste nippertje komen. U moet zich geen zorgen om haar maken.'

Toch is er een soort pijn binnen in Thea, maar dat laat ze niet merken en zeker niet aan Arie die met een mooi bruidsboeket binnenkomt.

Toch merkt Arie dat ze erg nerveus is, maar hij denkt dat dat wel zal komen omdat ze opnieuw gaat trouwen en dat is niet niks. Zelf is hij ook best nerveus. Als hij om zich heen kijkt en Regina mist vraagt hij: 'Waar is Regina?'

'Ze is... ze zal zo wel komen...'

'Is er wat met haar?' vraagt Arie die merkt dat Thea erg verdrietig naar hem kijkt. Met een zucht bedenkt hij dat het wel weer mis zal zijn met haar dochter.

'Je weet hoe Regina erover denkt…'

'Wil ze niet mee naar de bruiloft?'

'Dat denk ik wel…'

'Waar is ze dan heengegaan… we moeten zo weg…' zegt Arie wat ongeduldig.

Ze vertrekken zonder Regina. Als ze in de kerk zijn en voorin zitten, kijkt Regina nerveus achterom of ze ergens tussen de mensen haar dochter ziet. Nee, ze is er niet. Thea heeft diep in haar hart pijn om haar dochter, maar probeert dat zo veel mogelijk te verbergen.

Arie pakt haar hand en merkt dat die klam is. Hij kijkt zijn toekomstige vrouw aan en fluistert: 'Gaat het, Thea?'

Thea knikt en terwijl ze wat gemaakt tegen hem lacht fluistert ze: 'Ze is er nog niet.'

'Zal ik aan de dominee vragen of hij even wil wachten totdat ze er is?'

'Nee… nee… misschien komt ze helemaal niet,' antwoordt Thea met een stem vol emotie.

Het huwelijk wordt ingezegend. Thea is er niet bij met haar gedachten. Er ontstaat een tweestrijd in haar als ze Arie aankijkt en haar jawoord moet geven. De predikant vraagt voor de tweede maal: 'Wat is hierop uw antwoord?'

Arie knijpt haar in haar hand, dan zegt ze met een zachte stem: 'Ja…'

Als ze weer zitten, kijkt Thea opnieuw achterom of ze haar dochter ziet. Na de zegen en het toezingen gaan ze de kerk uit. Er worden eerst handen geschud en er wordt gezoend.

Er lopen tranen over Thea's wangen. Het zijn tranen van geluk, maar ook tranen om het verlies van haar dochter. Steeds kijkt ze naar de ingang of ze haar dochter nog binnen ziet komen.

Ze zitten nu in het zaaltje waar het feest gehouden zal worden. Het is een gezellige drukte en ze ontvangen veel cadeaus.

'Zou ze nog komen?'

'Jammer dat het zo moet gaan,' zegt Arie troostend tot zijn vrouw. Hij heeft er ook moeite mee. Hij wist dat Regina hem niet zou aanvaarden als haar tweede vader en daar had hij best begrip voor. Dat heeft hij ook te kennen gegeven toen ze haar vertelden dat ze gingen trouwen en Regina kwaad naar haar kamer ging waar ze zich opsloot. Hij is toen naar haar kamer gegaan om haar te troosten en zag haar zitten met een foto van haar vader in haar hand.

Ze keek hem aan en zei: 'Dit is mijn vader... nooit zal jij die plaats innemen!'

Hij was toen erg geschrokken en beloofde haar dat ze daar vrij in was en dat hij het goed kon begrijpen. Maar dat ze niet op de bruiloft is, dat doet hem ook pijn. Die pijn is er niet alleen om Regina, maar bovenal vanwege zijn vrouw. Het is haar kind. Hij voelt haar verdriet. Het is hun trouwdag. Hij had zich er zoveel van voorgesteld. Hij houdt zoveel van Thea, al kent hij haar nog maar kort. Hij heeft haar leren kennen vanuit de kerk. Ze waren samen op de bijbelkring en dan bracht hij haar weleens naar huis en dronk dan wel eens een kopje koffie bij haar. Ze groeiden naar elkaar toe. Vroeger heeft hij verkering gehad, maar hij werd bedrogen door het meisje waar hij erg verliefd op was. Er zijn jaren overheen gegaan voor hij het verwerkt had. Hij bleef vrijgezel terwijl al zijn vrienden gingen trouwen. Nu zit hij hier met zijn vrouw Thea. Hij is zo gelukkig met haar... alleen, nu is Thea zo verdrietig over haar dochter en dat doet hem ook pijn. Waarom mag hij nooit eens echt gelukkig zijn met een vrouw? Hadden ze toch langer moeten wachten totdat Regina eraan toe was en zelf met een jongen thuis zou komen en dan misschien beter zou begrijpen wat liefde is... nee, dat kon niet. Ze kwamen zo vaak bij elkaar, dat mensen in en buiten de kerk erover zouden praten dat hij vaak bij die weduwe was. De dominee vond het ook verstandig om, als zij van elkaar hielden, zo snel mogelijk te gaan trouwen... piekert Arie.

'Waar zou ze zitten?' vraagt Thea als er niemand meer komt om hen te feliciteren.

'Misschien is ze wel thuis op haar kamer,' antwoordt Arie.

'Zal ik aan Dennie vragen of hij even thuis gaat kijken of ze thuis is?' vraagt Thea dan.

Dennie rijdt naar de flat van zijn moeder. Als hij binnen is, merkt hij al snel dat er niemand is. Hij kijkt nog eens in Regina's kamer.

Waar zou ze zitten... ze zal toch geen gekke dingen uithalen? Ze was de laatste tijd erg agressief en wilde niks weten van het huwelijk van hun moeder met Arie. Arie is een fijne kerel. Nu verpest Regina hun hele huwelijksdag. Hij zal haar eens goed onder handen nemen als ze vandaag thuiskomt, dat kan hij niet aan Arie overlaten, dan gaat het helemaal mis. Na de dood van hun vader is het helemaal verkeerd gegaan met Regina. Op school ging het mis. Ze is van school gegaan om te gaan werken. Ze had beter door kunnen studeren.

Dan ziet Dennie een foto op Regina's bed liggen. Hij pakt het lijstje en ziet zijn vader samen met Regina op de foto staan.

Jammer dat het allemaal zo moest gaan. Pa had een kort ziekbed en dat was moeilijk voor zijn moeder. Ze heeft hem tot het laatst zelf verzorgd. Ma was goed voor pa... ze is wel weer snel hertrouwd... maar ze kon geen betere man krijgen, dat is zeker. Arie is een hele gewone man die op een vrachtwagen rijdt, maar er valt geen kwaad van hem te zeggen. Hij wilde zo snel mogelijk trouwen om geen praatjes te krijgen die zijn moeder pijn zouden doen. Hij ging trouw naar de kerk en als hij tijd had, was hij op de bijbelkring. Jammer dat Regina nu zo dwarsligt. Hij zal toch eens met haar praten, dat had hij al eerder moeten doen. Nu heeft ze de huwelijksdag van zijn moeder en Arie al verpest.

Als Dennie terug is in het zaaltje waar het huwelijksfeest wordt gehouden, vraagt zijn moeder gelijk: 'Was ze thuis?'

'Nee ma... ik zal wel met haar praten als ze thuiskomt.'

'Dat kun je dan beter morgen doen.'

'Ja natuurlijk... het is vandaag jullie huwelijksdag. Je zou door zo'n griet helemaal in de war raken.'

'Waar zou ze zitten?' vraagt Thea aan Arie.

'Ze heeft vrienden en vriendinnen genoeg waar ze terecht kan,' antwoordt Arie.

'Er zitten er ook bij die nogal veel drinken en naar de disco en cafés gaan,' zegt Thea wat ongerust.

'Zal ik wat in het dorp rondrijden en hier en daar gaan kijken of ik haar ergens zie?'

'Dat kun je niet maken, man... het is onze bruiloft,' antwoordt Thea met een nerveus lachje.

Arie geeft haar een zoen op haar wang en zegt: 'Nou zou ik je meteen al in de steek laten, dat is niet netjes van mij.'

'Dat komt allemaal door haar...' vlug pinkt Thea een traan weg.

'Ze krijgt er vanzelf wel spijt van. Ze is nog jong en mist haar vader erg, dat mogen wij niet vergeten,' antwoordt Arie vol begrip.

'Dat kan wel waar zijn... maar we hebben samen vaak genoeg met haar gepraat.'

'Daar heb je gelijk in. Maar ze zal vanavond wel weer thuiskomen... maak je niet ongerust.'

'Dat doe ik wel...' antwoordt Thea met een stem vol emotie.

Als de meeste mensen in het feestzaaltje afscheid hebben genomen, gaan ze naar een ander zaaltje en krijgen ze een heerlijk diner. Ook daar wordt Regina gemist en blijft haar stoel leeg.

De meeste gasten genieten van het heerlijke eten en drinken. Alleen Thea kan niets door haar keel krijgen. Ze gaat zich steeds schuldiger voelen tegenover haar dochter. Heeft ze er wel goed aan gedaan om zo snel te hertrouwen? Ook al heeft ze een goede en lieve man, waar ze oprecht van houdt, ze is haar eerste man nog niet vergeten. Thea heeft het moeilijk nu Regina haar zo in de steek laat en laat merken dat ze het niet met haar eens is.

3

Een meisje op een felgele scooter rijdt het dorp uit. Haar lange blonde haren wapperen achter haar aan. Ze draagt nooit een helm, daar kan ze niet tegen.

Als ze dicht bij het kerkhof is, remt ze af en zet haar scooter op de plaats waar nog een paar fietsen staan. Ze loopt de begraafplaats op. Ze hoeft niet te zoeken. Ze is hier elke week geweest. Twee jaar lang.

Vroeger ging ze samen met haar moeder. Nu gaat ze alleen. Ze blijft stil staan bij de marmeren steen, valt op haar knieën op het zachte gras en leest zijn naam: Herman Vernoot. Door haar tranen ziet ze zijn naam niet meer en snikt zachtjes: 'Papa... lieve papa, waarom... ik mis u zo...'. Ze houdt haar handen voor haar gezicht en huilt als een klein kind dat een groot verdriet heeft.

Ze zit daar zo'n kwartier op haar knieën. Voorzichtig staat ze dan op en veegt haar tranen weg. Ze loopt dichter naar de marmeren steen en gaat met haar hand over de letters van zijn naam en spelt die naam: Herman Vernoot. Opnieuw komen er tranen in haar ogen en fluistert ze: 'U alleen... u blijft voor altijd mijn vader... nooit zal ik een ander zo lief-hebben als u, papa...'

Dan draait zij zich om en rent terug naar de ingang. Zij laat de doden achter zich en loopt terug naar de parkeer-plaats waar ze op haar scooter stapt. Ze weet zelf niet waar-heen. Als ze door een park rijdt, stopt ze bij een bankje. Ze zet haar scooter op de standaard en gaat op het bankje zitten.

Er komen mensen langs die hun hond uitlaten in het park. Regina ziet hen niet. Ze zit daar met gebogen hoofd terwijl talloze gedachten door haar heen gaan. Ze hoort de stem van haar vader die zegt: 'Regina, je weet waar je hulp kunt vinden als je mij eenmaal zult missen.' Ze zat toen bij zijn sterfbed, met haar vader alleen. Ze besefte toen niet dat haar vader er een paar dagen later niet meer zou zijn. Ze had toen geknikt alsof ze nooit haar vader zou missen. Hij hield haar hand vast en vertelde met een zachte stem: 'Zul je goed naar je moeder luisteren... je hebt een lieve moeder... Zoek ook vaak de Heere God in je gebed. Hij zal je bijstaan nu ik je ga verlaten...' Ze ziet de betraande ogen van haar vader. Zelfs toen kon ze het nog niet geloven. Ze had vriendelijk tegen hem gelachen en gezegd: 'Pa, het komt best goed...' Nee... nee, het is nooit goed gekomen sinds haar vader er niet meer is. Ze kan niet meer van haar moeder houden zoals vroeger. Ze heeft nooit meer echt kunnen bidden. Ze was kwaad op die God die haar lieve vader wegnam. Ze kon hem nog niet missen... en nu gaat haar moeder ook nog trouwen... en haar broer die altijd maar zegt: 'Je moet het aanvaarden... pa is nu goed af en wij moeten verder...' Nee... ze wil zo niet verder en zeker niet nu een andere man de plaats van haar vader zal innemen. Ze kan er niet mee leven.

Ze richt haar hoofd op en ziet door de bomen de blauwe lucht. Er glinsteren tranen in haar ogen. Ze veegt ze weg en vraagt zich af waar pa nu zou zijn... zou het waar zijn wat hij eens tegen haar zei, dat hij nooit meer verdriet zou kennen en naar huis zou gaan naar zijn Vader in de hemel en dat hij een kind van die Vader wilde zijn... nee, dat kan ze niet begrijpen... Hij is immers haar vader en ze kan hem niet missen. De dominee had er ook vaak met haar over gesproken en gezegd, dat haar vader nu voor eeuwig thuis was... Maar zij dan... hij liet haar achter. Waarom mocht zij haar vader niet houden zoals anderen... Nee, ze wil alleen haar eigen vader en nooit een ander. Ze wil die man niet die met haar moeder trouwt vandaag. Haar eigen liefste vader is haar afgenomen... Ze zal nooit meer echt gelukkig kunnen zijn. Zij was het kind van haar vader, waarom kon haar vader dan zeggen dat hij naar huis ging naar een andere Vader... Daar bedoelde hij God mee. Zo'n Vader wil zij niet. Hij heeft haar haar echte vader afgenomen... nooit zal iemand haar kunnen begrijpen. Ze kan er immers met niemand over praten... kwam pa maar even terug om met haar te praten en haar hand vast te houden... ze zou hem nooit meer loslaten.

Als Regina opnieuw haar tranen wegveegt, ziet zij een jongeman voor zich staan. Hij komt dichter bij haar en zegt: 'Ken ik jou niet ergens van?'

Regina kijkt hem aan met haar rooddoorlopen ogen van het huilen en ziet dat het Evert is die een paar weken bij haar in de supermarkt heeft gewerkt om vakken te vullen en later weer weg is gegaan om in een ziekenhuis te gaan werken in de verpleging.

'Ben jij niet Regina uit die supermarkt?'

Regina knikt.

'Mag ik naast je komen zitten?'

Regina haalt onverschillig haar schouders op alsof ze wil zeggen: wat kan mij dat schelen.

Evert gaat naast haar zitten en kijkt haar van opzij aan.

'Is er wat gebeurd met je?'

Regina kijkt de andere kant op en gaat met haar hand door haar lange blonde haar en geeft geen antwoord.

Het lijkt of er een prop in haar keel zit.

'Volgens mij heb je het moeilijk,' zegt Evert voorzichtig.

Regina laat haar hoofd zakken en doet net alsof ze hem niet hoort.

'Kan ik je ergens mee helpen?'

Regina schudt haar hoofd. Het blijft een tijdje stil tussen hen beiden.

'Ook toevallig dat ik je hier tegenkom in dit park. Ik ga hier tussen de middag altijd wandelen als ik pauze heb. Hier achter het park ligt het ziekenhuis waar ik werk,' legt Evert uit.

'O...' antwoordt Regina dan met een zachte stem.

'Werk je niet meer in die supermarkt... of heb je een dag vrij genomen met dit mooie weer?'

'Ja, ik...' verder komt ze niet. Ze houdt haar handen voor haar gezicht en laat haar tranen de vrije loop. Ze kan zich niet goedhouden als deze jongen vragen stelt waar ze zo moeilijk antwoord op kan geven.

Ze voelt een hand op een van haar schouders en een zachte stem zegt: 'Regina, je hebt het erg moeilijk... als je praten wilt?'

Regina schudt haar hoofd en veegt haar tranen weg.

'Is er thuis wat gebeurd dat je zo overstuur bent?'

Regina richt haar hoofd op en kijkt Evert door haar tranen heen aan en antwoordt: 'Ja...'

'Heb je moeilijkheden...?'

'Nee... eigenlijk niet,' antwoordt Regina dan met een vreemde lach op haar gezicht.

'Wat maakt je dan zo overstuur?'

'Mijn moeder trouwt vandaag ,' antwoordt Regina met een bevende stem en met dat vreemde lachje op haar gezicht.

'O... zijn je ouders gescheiden of zo en gaat je moeder opnieuw trouwen...?' vraagt Evert voorzichtig.

Regina knikt.

'Moet je dan niet op de bruiloft zijn of heb je ruzie gehad? Je bent behoorlijk overstuur.'

Regina schudt haar hoofd.

'Kun je niet naar je vader?'

Regina schudt opnieuw haar hoofd en antwoordt: 'Ik ben bij hem geweest...'

'Heeft hij je weggestuurd of was hij niet thuis?'

'Hij leeft niet meer...'

'O... heeft je vader een ongeluk gehad of zo... ben je daarom zo overstuur?'

'Hij ligt op het kerkhof...'

'O...' Evert weet niet wat hij verder moet zeggen na dit antwoord van Regina.

'Dus je vader is overleden en je moeder gaat vandaag trouwen?'

Regina knikt.

'Is je vader kort geleden overleden?'

'Nee... een paar jaar geleden...' antwoordt Regina terwijl ze opnieuw haar tranen droogt.

'Dus je moeder gaat vandaag trouwen en daar wil jij niet bij zijn?' vraagt Evert op goed geluk.

Regina knikt.

'Je bent je vader nog niet vergeten en wilt niet dat die andere man de plaats van je vader inneemt... Heb ik het goed... Of heb je liever dat ik er niet over praat, Regina?'

Dan snikt Regina het uit: 'Ik mis hem zo... niemand denkt aan mij...'

Opnieuw legt Evert zijn hand op haar schouder en zegt met een stem vol emotie: 'Toch wel, Regina... ik begrijp het heel goed...'

'Nee, dat kun jij niet... ik mis hem elke dag en nu gaat ze trouwen... waarom doet ze dat... het is toch ook haar man, net zo goed als hij mijn vader is, dat kan ik niet verdragen...'

Zonder wat te zeggen gaat Evert voorzichtig met zijn hand over haar lange blonde haren en kijkt haar aan.

Als Regina ziet dat ook Evert tranen in zijn ogen heeft, gaat ze tegen hem aan liggen en huilt zachtjes. Ze voelt dat deze jongen met haar meevoelt.

Evert streelt haar wangen en droogt haar tranen.

'Je moet weten, Regina... Mijn vader is niet zoals jouw vader gestorven, maar hij ging bij ons weg toen ik nog een kind was. Hij heeft een andere vrouw en liet ons in de steek... ik miste mijn vader als kind erg. Ik kon niet begrijpen dat een vader zoiets kon doen. Het is al jaren geleden... Toch gaat die pijn nooit echt over,' legt Evert vol emotie uit.

Regina gaat rechtop zitten en kijkt Evert aan terwijl ze zegt: 'Jij kunt nog naar je vader gaan.'

'Nee, Regina...'

'Waarom niet?'

'Hij wil niks te maken hebben met ons.'

'Is je moeder ook hertrouwd?'

'Nee... ze kan niet van een andere man houden. Hij heeft haar vaak vernederd en ging openlijk met die andere vrouw om.'

'Ben je nooit meer naar je vader, geweest?'

'Dat wel...'

'Dus hij hield nog wel van je?'

'Nee, niet echt... hij koos voor die andere vrouw waar hij twee kinderen bij heeft. Hij stuurde mij de laatste keer weg...'

'Dat is gemeen...'

'Dat was het ook.'

'Woont je moeder nu alleen in dat grote huis?'

'Ja... mijn ouders zijn gelijk gescheiden, maar ze waren behoorlijk bemiddeld, dus bleef er genoeg geld voor mijn moeder over en ook voor mij om verder te kunnen studeren.'

Het is dan een tijdje stil tussen hen beiden totdat Evert zegt: 'Ik moet nodig terug naar mijn werk in het ziekenhuis... de pauze is al voorbij.'

'Je kunt gerust gaan,' zegt Regina die merkt dat Evert bezorgd naar haar kijkt.

'Ga je nog naar huis... hoe laat begint die bruiloft?'

'Nee, ik ga niet naar die bruiloft, dat kan ik niet verdragen... nooit ga ik meer naar huis,' zegt Regina dan fel.

'Maar waar ga je dan naartoe?'

'Dat zie ik nog wel...'

'Maar je moet een dak boven je hoofd hebben... Je kunt zomaar niet weggaan. Je kunt toch wachten tot ze getrouwd zijn en dan weer naar huis gaan.'

'Je begrijpt er niks van,' antwoordt Regina kwaad.

'Natuurlijk begrijp ik je wel. Je moet verder, Regina... Je moeder houdt van een andere man na twee jaar. Je vader is er niet meer. Toch zullen ze je erg missen. Weten ze dat je niet op de bruiloft komt?'

'Nee...'

'Waarom bel je ze niet?'

'Dat kan ik niet... ga jij maar naar je werk in het ziekenhuis, ik red mij wel.'

'Nee, Regina... wacht, ik heb een oplossing...'

Evert pakt zijn mobiel en toetst het nummer van zijn moeder in.

'Hoi ma... ik heb hier een meisje... ja, ik ken haar heel goed... ze komt naar u toe... o wacht, ze wil wat zeggen...'

Regina staat op en zegt: 'Je lijkt wel gek... ik ga zomaar niet naar je moeder die ik helemaal niet ken...'

'Ma... ma, ik bel zo wel terug... ze durft niet alleen naar u toe... Nee, u moet zich niet ongerust maken... doei...'

Evert pakt haar scooter en zegt: 'Kom op, dan gaan we

naar het ziekenhuis en probeer ik wat te regelen. Ik laat je zo niet gaan.'

Regina loopt met hem mee het park door naar het ziekenhuis dat achter het park ligt.

'Als je hierbinnen even wacht, dan haal ik even een kopje koffie voor je,' zegt Evert terwijl hij naar een automaat loopt in een soort wachtkamer. Hij geeft Regina een beker koffie en gaat naar een van de afdelingen.

Regina knapt een beetje op van de koffie, want ze heeft al een tijdje niks gedronken of gegeten.

Ze kijkt op de grote klok in de wachtkamer en ziet dat het twee uur is geweest. Nu zijn ze dus getrouwd, denkt ze, en gaan ze feestvieren in het zaaltje naast de kerk. Ze zullen haar wel missen. Haar mobiel is een paar keer afgegaan toen ze op haar scooter zat, maar die heeft ze mooi laten gaan. Het zal haar broer Dennie of Arie wel zijn. Nee... ze kan niet meer terug. Leven met een moeder die van een andere man houdt en met haar moeder naar bed gaat in hetzelfde bed waar eens haar vader sliep met haar moeder en waar hij ook in gestorven is... nee, nooit... piekert Regina.

Maar wat moet ze hier met die Evert? Hij vertelt haar zomaar over zijn ouders. Hij heeft zich haar lot aangetrokken, omdat hij ook als kind zijn vader kwijtraakte. Wel op een heel ander manier dan zij, maar evengoed erg. Nee, zoiets zou haar vader nooit doen. Vader was een integere man en hield veel van ma en haar. Dennie was meer een moederskind. Gek, zij ging meer met haar vader om dan haar broer terwijl hij een zoon was. Of zou het gekomen zijn omdat zij meer van haar vader hield dan Dennie, haar broer. Ze heeft Dennie ook nooit zien huilen. Zelfs op de begraafplaats niet. Dennie was altijd stijf en ongevoelig voor veel dingen. Hij leek meer op ma, die kon ook vaak koel doen. Zij had veel meer met haar vader, de band tussen vader en dochter was sterker dan tussen moeder en dochter.

Terwijl ze daar zo in de wachtkamer van het ziekenhuis zit met het lege bekertje omklemd door beide handen, komt Evert naar haar toe. Hij heeft zijn jack aan en draagt een rugtas.

'Ga je mee?'

'Mag je dan zomaar gaan?'

'Noodgeval,' lacht Evert.

'Dus ik ben een noodgeval voor jou?'

'Zo bedoel ik het niet, ik heb hun gewoon de waarheid verteld en dat is meestal beter dan dat je een smoesje verzint.'

'Soms wel... dus ze weten nu alles van mij?'

'Niet precies. Ik heb een beetje in grote lijnen uitgelegd dat ik je naar huis wil brengen en daar kreeg ik goedkeuring voor van de arts waar ik stage loop.'

Regina zegt niets, maar denkt: waarom zit deze jongen zo over mij in. Zou het komen omdat hij als kind dat met zijn eigen vader heeft meegemaakt... of zou hij veel om haar geven... 'Laat je scooter hier maar staan, dan gaan we met mijn auto.'

'Mij best.'

'Gaat het nu al wat beter?'

'Waarom doe je dit eigenlijk allemaal voor mij?'

Zonder antwoord te geven start Evert de motor van zijn auto en rijdt hij het parkeerterrein van het ziekenhuis af.

'Evert, ik vroeg je wat.'

'Oké... we hebben twee mogelijkheden. We kunnen naar mijn thuis gaan. Je bent welkom bij mijn moeder. Dat zul je snel genoeg merken... We kunnen ook naar de bruiloft van je moeder gaan en dan wel zien hoe het gaat.'

'Nee... dat liever niet.'

'Dus je gaat liever mee naar ons thuis?'

'Daar heb ik ook moeite mee. Ik ken je moeder niet...'

Onder het rijden legt Evert zijn hand op de hare en zegt: 'Ik ben er ook nog... zou je het dan voor mij willen doen?'

'Maar waarom wil je dat zo graag?'

Dicht bij zijn huis stoppen ze en kijkt Evert haar aan. Hij pakt opnieuw haar hand en trekt haar naar zich toe en kust haar zomaar.

Regina laat het gewillig toe. Ze voelt zich als een kind dat getroost wordt in haar verdriet.

Dan rijden ze door naar het grote witte huis en maakt Regina kennis met Everts moeder.

4

Everts moeder, een klein tenger vrouwtje. Ze is op middelbare leeftijd. Regina blijft wat achter Evert staan als ze in de grote kamer komen die wat ouderwets aandoet.

'Mam, dit is Regina...'
Elly loopt naar het wat verlegen meisje toe en geeft haar een hand. De hand van Regina voelt wat klam aan. Elly heeft in de gaten, dat dit meisje erg nerveus is.

'Regina... een mooie naam, wat willen jullie drinken?'
'Doe maar wat fris, ma,' antwoordt Evert terwijl hij met Regina op de bank gaat zitten.
Even later komt Elly met een dienblad terug met drie glazen fris.

'Heb je vrij genomen of was je vroeger klaar met je werk?' vraagt Elly aan haar zoon terwijl ze de glazen voor hen op het tafeltje zet.
Zonder te antwoorden kijkt hij Regina aan en neemt een slok van het koele sap.

'Je stopt er toch niet mee?'
'Hoe bedoelt u, ma?'
'Je gaat toch wel door met je studie?' vraagt zijn moeder wat ongerust.

'Ja mam... Regina zit wat in de moeilijkheden. Ik ken haar van de supermarkt waar ik gewerkt heb tijdens de vakantie.'
'O... dus je werkt in een supermarkt?'
Regina knikt.

'Heb je moeilijkheden op je werk, Regina?' vraagt Elly.
'Nee...' antwoordt Regina terwijl ze haar hoofd laat zakken.
Evert merkt dat Regina het moeilijk heeft en legt voor-

zichtig zijn hand op haar arm. Hij kijkt zijn moeder aan en zegt: 'Haar moeder gaat vandaag trouwen…'

'Wat zeg je nou toch, jongen…?'

'Mam… het is allemaal erg moeilijk voor Regina.'

'Ja, dat merk ik… dus je moeder… ik begrijp het allemaal niet zo goed,' zegt Elly wat voorzichtig.

Regina durft haar niet aan te kijken. Ze laat haar hoofd nog dieper zakken.

'Mam, het is beter dat we er nu niet over praten,' zegt Evert terwijl hij zijn moeder ernstig aankijkt.

Dan laat Regina zich gaan en snikt: 'Ja… gek hè… mijn moeder is vandaag getrouwd… en ik zit hier…'

'Ach, kind… lucht je hart maar gerust, hoor…' zegt Elly terwijl ze aan de andere kant op de bank naast Regina gaat zitten en haar arm om haar heen slaat en haar als een echte moeder tegen zich aandrukt. Ze knikt tegen haar zoon dat hij even weg moet gaan. Evert staat op en loopt naar de keuken.

Regina blijft achter met Elly.

'Dus je moeder gaat hertrouwen en daar heb jij moeite mee?'

Regina knikt.

'Zijn je ouders gescheiden?'

'Nee… mijn vader leeft niet meer…'

'O… je hebt zeker veel van je vader gehouden?'

'Ja… ik mis hem erg.'

'Dat is meestal zo bij iemand die je liefhebt. Is het al lang geleden dat je vader is gestorven?'

'Ongeveer twee jaar.'

'Ben je enig kind?'

'Nee… ik heb nog een getrouwde broer.'

'Heeft die er ook moeite mee?'

'Nee.'

'Die man waar je moeder mee hertrouwt, heb je daar een hekel aan?'

'Hij is mijn vader niet... ik wil geen ander op de plaats van mijn vader en dat begrijpt mijn moeder niet.'

'Dat is meestal zo, kind... men begrijpt het verdriet niet als er een ander op de plaats van je geliefde komt.'

'Niemand begrijpt me, waarom is alles zo gegaan? Waarom moet ze zo nodig opnieuw gaan trouwen? We hadden het zo goed samen.'

'Kun je niet met die man opschieten?'

'Daar gaat het niet om,' antwoordt Regina kort.

'Je bent boos omdat je moeder niet net zoveel van je vader houdt als jij?'

'Ja...' snikt Regina.

'Dat begrijp ik goed, kind.'

'Niemand begrijpt mij...' snikt Regina.

Elly drukt haar steviger tegen zich aan en gaat met haar ene hand door haar lange blonde haren.

'Het kan vanbinnen zo'n pijn doen als je geliefde van een ander gaat houden, want jij houdt niet alleen veel van je vader, maar ook van je moeder. En nu zij van een andere man is gaan houden, voel jij het gemis van je vader des te sterker,' legt Elly uit.

Regina kijkt Elly aan en ziet dat ook de ogen van Elly betraand zijn.

Elly veegt snel haar ogen droog en zegt: 'Huilt met de treurende.'

'Bent u ook christelijk?' vraagt Regina.

'Nee kind.'

'Gelooft u niet in God?'

'Er zal wel een God zijn.'

'Mijn vader hield veel van de Heere God...'

'Dat kan, ja.'

'Toen hij zo ziek was, wilde hij graag naar de hemel, naar zijn Vader, en dat kon ik niet begrijpen. Kunt u dat begrijpen?'

'Jawel hoor.'

'Maar u zegt, dat u niet gelooft...'

'Geloven en geloven is twee.'

'U begrijpt dus wel dat mijn vader naar God in de hemel wilde?'

'Weet je Regina... ik ben een hele tijd erg overspannen geweest. Ook mijn zoon Evert heeft het erg moeilijk gehad. Wij moesten samen een verdriet dragen dat veel op jouw verdriet lijkt en dan zijn er dagen, dat je niet meer wilt leven en verlangt naar de dood, naar rust en vrede. Dat hoeft niet per se een hemel of een God te zijn. Het was toen voor mij al genoeg om rust in de dood te vinden zodat die pijn in mijn hart niet meer was...'

Regina veegt haar ogen droog. Ze merkt dat deze vrouw veel geleden moet hebben om haar man en vraagt: 'Heeft u nog steeds verdriet om uw man?'

'Dat gaat niet over als je echt van iemand hebt gehouden en vooral niet als hij je bedrogen heeft en van een ander houdt...'

Regina begrijpt nu wat ze bedoelt, dat ze haar verdriet kan begrijpen.

'Maar u kunt toch niet van een man houden die u bedrogen heeft en van een ander houdt?'

'Er is haat en verdriet in je... Echt van iemand houden, dat gaat niet over... het is vooral de pijn dat hij van een ander houdt. We hielden erg veel van elkaar en kregen samen een zoon. We waren samen erg gelukkig. Je hoort het altijd van anderen dat ze met een ander gaan. Mijn man... nee, dat kon gewoon niet, hij hield zoveel van mij. Hij was altijd zo bezorgd over ons en gaf ons zoveel liefde. Liefde is het hoogste goed, daar moet je zuinig op zijn. Het is heerlijk om het te mogen beleven dat iemand echt van je houdt, maar als diezelfde liefde van je afgenomen wordt, dan is de pijn onbeschrijfelijk. Je moeder zal ook veel pijn gehad hebben toen je vader is gestorven, maar de pijn dat je man van een ander meer gaat houden en je in de steek laat, is misschien nog wel erger. Soms wenste ik dat hij gestorven was, liever dan dat hij mij op deze manier had verlaten en van een andere vrouw was gaan houden...' legt Elly uit terwijl ze haar tranen droogt.

'Zou u van een andere man kunnen houden en met hem opnieuw kunnen beginnen?'

'Nee... nee, daar was mijn liefde te groot voor en ik zou die man nooit zo lief kunnen hebben als mijn eerste man en ik zou hem ook niet vertrouwen. Ik ben nooit jaloers geweest, maar mijn man wel. Als we op een feestje waren en ik met een andere man praatte, dan kon hij dat niet hebben. Zelf had ik dat niet, omdat ik niet geloofde dat hij van iemand kon houden dan alleen van mij.'

'Dan moet het voor u erg hard zijn aangekomen toen u merkte dat hij een ander had.'

'Ja kind... daarom begrijp ik best dat jij het moeilijk hebt en je moeder niet begrijpt.'

'Dat zal ik ook nooit. Mijn vader is mijn moeder altijd trouw gebleven en ze zal nooit zo'n man terugkrijgen en ik nooit zo'n vader.'

'Wat zou jij erger vinden?'

'Hoe bedoelt u?'

'Dat je vader er niet meer is of dat hij een andere vrouw lief zou hebben en andere kinderen?'

'Zoiets kan ik mij niet voorstellen van mijn vader.'

'Dat dacht ik ook, Regina. Soms word ik weleens midden in de nacht wakker en lijkt alles zo onwerkelijk. Dat hij nu bij een andere vrouw slaapt en dat hij daar nu kinderen bij heeft... nee, ik wenste hem liever dood...' zucht Elly.

'Als uw man gestorven was, net als mijn vader zou u dan wel weer kunnen hertrouwen?'

'Dat denk ik niet... nee... ik weet het niet, maar ik mag niet over je moeder oordelen.'

'Kan mijn moeder dan net zoveel van mijn vader hebben gehouden als u van uw man?'

'Mijn lieve kind... wat stel je mij nu een moeilijke vraag... nee, zelf zou ik het niet kunnen...'

'Waarom mijn moeder wel?'

'Jouw moeder kun je niet vergelijken met mij. Ieder mens is weer anders en zeker wat liefde betreft.'

'Zou Evert ook kwaad op u zijn als u ging hertrouwen?'

'Nee, dat denk ik niet.'

'Hield hij dan niet veel van zijn vader?'

'Vroeger wel... nu haat hij zijn vader en wil niets met hem te maken hebben en zijn vader niet met hem.'

'Vreemd is dat... je blijft toch altijd van je vader houden.'

'Ook als hij van een andere vrouw houdt en van hun kinderen?'

'Als het mijn vader was, wel.'

'Kind, je weet niet wat je zegt. Geldt dat dan niet voor je moeder? En je wilt nu niet op haar bruiloft zijn?'

'Dat is wel waar... maar mijn vader was zo heel anders... hij was zo...'

'Zo lief voor je. Zo het een echte vader betaamt,' antwoordt Elly.

'Het is allemaal zo moeilijk. Soms ga ik naar het kerkhof

en als ik dan mijn ogen sluit, dan lijkt het net of hij heel dicht bij mij is en als ik dan mijn ogen open en het graf zie, dan lijkt de dood zo onwerkelijk.'

'De dood is voor ons ook onwerkelijk. Het is voor veel mensen een mysterie… ongrijpbaar, en dan te weten dat we allemaal eens sterven moeten en in de aarde zullen verdwijnen. Je moet er niet te veel aan denken, anders heb je geen rust meer,' antwoordt Elly wat bedroefd.

'En u wilde sterven?'

'Dat gebeurt vaak als je leven kapot wordt gemaakt, dan lijkt de dood een uitkomst en denk je verlost te zijn van de pijn die de mensen je aandoen. Of je bent ernstig ziek, dan kan er ook een verlangen naar de dood zijn. Je hoopt dan vrede te hebben en niet meer de pijn van je lichaam of ziel te moeten dragen…'

'Dan moet u wel God kunnen ontmoeten.'

'Als je zo kapot bent gemaakt door je eigen geliefde… dan denk je niet meer aan een God… Ik verlangde alleen nog maar naar rust. Er was geen boze God voor mij die mij zou oordelen over mijn leven hier op aarde.'

'Gelooft u dat Hij de zonde kan vergeven?'

'Mijn lieve kind, ik praat nooit over zonde… wat is zonde bij God?'

'Nou ja…'

'Zeg het maar.'

'Wat uw man gedaan heeft is zonde. Hij heeft overspel gepleegd.'

'Volgens jou wordt hij daarvoor gestraft?'

'Als hij spijt krijgt, misschien niet… God kan hem vergeven.'

'Jij kunt het mooi brengen, kind, maar de werkelijkheid is anders. Ik ken de Bijbel van kaft tot kaft, zoals ze dat vroeger zeiden. De samenvatting van de wet. Het grootste gebod: God liefhebben boven alles en je naaste als jezelf. Soms heb ik de neiging om te zeggen, draai het eens om: eerst je naaste liefhebben als jezelf... probeer dat maar eens. Wie heeft zichzelf niet liever dan een ander? Als een mens een ander zo lief had als zichzelf, dan zag de wereld er heel anders uit en waren wij volmaakt voor God en zouden wij God vanzelf liefhebben boven alles. Begrijp je wat ik hiermee bedoel?'

'Ja...'

'Heb je je moeder wel lief als jezelf?'

'Nee... nee, dat kan ik nu niet meer... mijn vader wel...'

'Dat vraagt God niet. Hij wil zelfs dat jij je vijanden liefhebt.'

'Dat vind ik moeilijk.'

'Geloof je nog in zo'n strenge God?'

'Maar God wil ons wel vergeven,' zegt Regina kleintjes.

'Ik kan het mijn man niet en jij je moeder niet...'

'Nee... ik weet het niet meer...'

Elly pakt de hand van Regina en zegt: 'Dat begrijp ik, kind... neem mij niet kwalijk dat ik je alles over mijn huwelijk vertelde. Ik deed het om je te helpen. Het is moeilijk een geliefde te moeten missen, zeker als je geliefde van een ander gaat houden. Zoals bij jou je moeder en bij mij mijn man en voor Evert zijn vader.'

'Evert had mij al verteld over u en zijn vader,' zegt Regina eerlijk.

'Zo, wordt het niet eens tijd om wat te gaan eten?' vraagt Evert die de kamer in komt.

'Zou je niet eerst je moeder bellen... ze zullen ongerust over je zijn?' vraagt Elly.

'Laten ze maar bruiloft vieren zonder mij,' antwoordt Regina kort.

'Dat begrijp ik, maar je kunt toch even zeggen dat je bij ons bent. Ze kunnen zich van alles in hun hoofd halen... Je moeder mag niet ongerust zijn op haar trouwdag, dat mag je haar niet aandoen, Regina.'

Regina zucht eens diep en pakt haar mobieltje uit haar rugtas.

'Nee joh... bel maar met onze telefoon,' zegt Evert terwijl hij haar de telefoon aanreikt.

Regina toetst het nummer en krijgt geen gehoor.

'Ze zijn natuurlijk nog in de feestzaal naast de kerk,' zegt Regina.

'Heeft je moeder of iemand van je familie geen mobieltje bij zich waar jij het nummer van weet?'

'Ma zal hem nu niet bij zich hebben... misschien mijn broer Dennie wel...'

Ze toetst het 06-nummer van haar broer in.

'Ja... met Dennie Vernoot?'

'Met mij...'

'Regina... Regina, waar zit je?'

'Bij een vriend...'

'Heb je dan een vriend?'

'Vind je dat gek?'

'Je hebt zoveel vrienden en vriendinnen... maar ik bedoel een echte vriend?'

'Gaat je niet aan,' antwoordt Regina kort, die merkt dat haar broer een glaasje te veel op heeft.

'Hier is je moeder...'

'Ben jij het, Regina?'

'Ja...'

'Waarom doe je mij dit aan, Regina...?'

Regina geeft geen antwoord.

'Regina, ben je er nog?'

'Ja...'

'Waarom doe je ons zo'n pijn op onze trouwdag?'

'Dat weet u heel goed.'

'Je moet je wat volwassener gedragen... dit kun je toch niet maken. Ik schaam mij dat mijn eigen dochter niet op mijn trouwdag is.'

'Schaamt u zich nog maar een poosje,' antwoordt Regina en wil de verbinding verbreken.

Evert pakt snel het toestel uit haar handen en zeg: 'Neemt u mij niet kwalijk...'

'Wie bent u?'

'U spreekt met een vriend van Regina.'

'Welke vriend... Waarom kan ze niet hierheen komen?'

'Ze is nog wat overstuur.'

'Overstuur... waar moet zij overstuur van zijn? Ze denkt alleen maar aan zichzelf. Anders zou ze haar moeder niet in de steek laten op haar trouwdag.'

'Kunt u dat niet begrijpen, mevrouw?'

'Wat moet ik begrijpen?'

'Dat ze wat overstuur is.'

'Laat ze nu maar hierheen komen, dan kan ze nog bij het diner zijn.'

'Regina blijft zolang zij zelf wil bij ons.'

'Wie is ons?'

'Evert Vonders is mijn naam.'

'Dus ze is bij jou?'

'Bij mij en mijn moeder.'

'Als ze gelukkiger bij jullie is, dan moet ze maar bij jullie blijven... Ze heeft in ieder geval mij veel pijn gedaan door niet aanwezig te zijn op mijn trouwdag.'

'Dat begrijp ik wel... toch moet u ook rekening houden met de gevoelens van uw dochter.'

'Dat heb ik heel haar leven gedaan en dit krijg ik als dank ervoor terug. Mag ik van een ander houden na zoveel jaren? Zeg maar dat ze ondanks alles altijd welkom is.'

Regina schudt haar hoofd tegen Evert.

'Voorlopig blijft ze bij ons, mevrouw... u hoort nog wel van ons.' Gelijk verbreekt Evert de verbinding.

5

Regina is nu al een week bij Evert en zijn moeder. Ze vermijdt al het contact met haar moeder. Voorlopig gaat ze niet werken. Elly vindt het niet nodig. Ze moet eerst wat tot rust komen en genieten van haar jeugd en dat doet ze dan ook samen met Evert. Ze gaan vaak samen uit. Evert heeft veel vrienden en vriendinnen die wel heel anders zijn dan die van Regina. De meeste vrienden en vriendinnen waar Regina mee omging waren van de kerk, en ze moest in het weekend voor twaalf uur thuis zijn.

Met Evert en zijn vrienden is dat heel anders. Ze gaan vaak naar een disco en Evert gaat bijna elke avond naar een bar.

Ook deze zaterdagavond zitten ze gezellig bij elkaar aan de bar. Er wordt stevig gedronken en er worden ook de nodige drugs gebruikt. Voor Regina is dit leven nieuw. Ze heeft er veel over gehoord, maar het nooit echt zo meegemaakt. Ze kwam weleens in een soort gelegenheid waar ook best stevig gedronken werd, maar dat waren toch meestal jongelui van de kerk en ze zorgden wel dat ze voor de zondag thuis waren.

Ze zitten nu gezellig te kletsen aan de bar. Hoe meer drank Regina op heeft, hoe vrijmoediger ze zich voelt. Er wordt gedanst en gelachen en er is volop harde muziek, maar niet de muziek die Regina gewend is. Er wordt ook vaak gevloekt. In het begin schrok ze er wel van, maar ze raakt eraan gewend en ze laat ook weleens een grof woord vallen. Je moet immers meedoen. Ze hoort er gewoon bij en dat voelt prettig. Het is een gezellig clubje waar Evert en zij mee omgaan. Ze kan zich bij deze jongelui echt uitleven. Ze kan bij hen lekker uit haar dak gaan, zoals ze dat noemen.

Regina heeft deze avond te veel gedronken en gerookt en ze heeft ook voor het eerst wat xtc-pillen gebruikt.

Op een gegeven ogenblik valt Regina op de grond en blijft gewoon liggen. Evert is er gelijk bij en neemt haar in zijn armen en zet haar terug op de kruk achter de bar.

'Wil je soms naar huis?' vraagt Evert.

'Nee, man… laat mij met rust,' antwoordt ze met een dubbele tong.

'Je moet niet zoveel drinken als je die pillen slikt,' waarschuwt hij haar.

'Man, ik voel mij hartstikke tof… te gaaf…'

Evert kent haar niet zo. Evert weet zelf wel hoe ver hij gaan kan en slikt zeker geen pillen. Hij drinkt een stevig pilsje en is gezellig, maar aan dat gedoe met die pillen heeft hij een hekel. Hij heeft Regina ervoor gewaarschuwd, maar de eerste pil werkte al snel bij haar en in combinatie met de nodige drank kwam ze helemaal los. Ze voelt zich als in een droom als ze door de zaal danst.

'Je drinkt nu niets meer, Regina!' waarschuwt Evert haar.

'Je moet niet zo zeuren, ouwe gabber…'

'Evert is mijn naam.'

'Ha… ha, die Evert… Je bent zo stijf… je moet nodig een keer met mij dansen.' Ze trekt hem van de kruk en valt weer languit op de vloer.

Evert pakt haar opnieuw op en draagt haar naar buiten, naar zijn auto en legt haar op de achterbank.

'Waar gaan we naartoe… ik voel mij zo…'

'Oké Regina, het is al drie uur geweest. Je hebt te veel van die rotpillen ingenomen en er te veel bij gedronken,' antwoordt Evert kort.

Ze geeft geen antwoord meer. Ze zal wel in slaap zijn gevallen.

Als ze thuiskomen en Evert haar uit de auto wil halen, slaapt ze en voelt erg slap aan. Met moeite krijgt hij haar uit de auto en draagt hij haar naar binnen. Hij legt haar op de bank in de kamer en neemt zelf nog een pilsje uit de koelkast. Hij gaat naast haar op de bank zitten. Hij ziet een meisje liggen op de bank met prachtig blond haar en een mooi figuurtje. Hij verlangt naar haar en er rijpt een boos plan in hem. Voorzichtig buigt hij zich over haar lichaam en drukt zijn lippen op de hare.

Ze opent haar mooie blauwe ogen en lacht tegen hem. Hij neemt haar in zijn armen en draagt haar naar haar kamer. Hij kan zich dan niet meer beheersen en gaat naast haar in bed liggen. Hij streelt haar lichaam. Regina giechelt af en toe en laat alles over zich heen komen. Ze laat zich zoenen en als Evert zijn verboden liefde bedrijft, werkt zij niet tegen en slaat zij haar slappe armen om hem heen. Ze zijn alle twee niet alleen dronken van alcohol, maar ook van de verboden liefde die zij bedrijven. Het is als een vuur waar geen blusmiddel meer tegen helpt.

Evert blijft die nacht bij haar slapen.

Als ze ontwaken uit de droom van hun liefde, schijnt de zon al door de ramen. Het is zondagmorgen.

Regina wordt het eerst wakker en ziet Evert naast zich liggen. Ze wil opstaan, maar dan bonkt haar hoofd alsof er met mokers op geslagen wordt en valt ze weer terug in haar kussen. Ze geeft Evert een por en vraagt: 'Waarom slaap je bij mij?'

Evert, die best wat alcohol gewend is en zich weer nuchter voelt, kijkt haar aan en opnieuw is daar die begeerte in zijn binnenste. Hij slaat zijn armen om haar heen en zoent haar en fluistert: 'Je bent nu van mij... mijn lieve Regina... Je bent zo mooi...' Hij streelt met zijn hand door haar lange blonde haren en over haar wangen en fluistert lieve woorden tegen haar als hij haar opnieuw tegen zich aan wil drukken. Dan wordt Regina nuchter, al bonkt haar hoofd nog van al die rommel die ze gisteravond heeft geslikt en de nodige drankjes die ze op heeft. Ze duwt Evert van zich af.

'Niet doen... nee... nee, Evert...'

'Maar je bent toch van mij...'

Opnieuw pakt Evert haar beet en ze is te slap om zich te verweren en hij misbruikt haar opnieuw.

Als Evert haar loslaat na het liefdesspel dat alleen van zijn kant komt en hij haar aankijkt, ziet hij tranen over haar wangen lopen.

'Maar Regina... Regina, wat is er, lieverd...?'

'Dit mag niet... waarom heb je het gedaan...?'

'Je bent nu toch van mij... Je hebt het vannacht zelf toegegeven... lieverd, je bent helemaal van mij. Je mag nu niet meer verdrietig zijn.'

Evert veegt haar tranen weg en zoent haar opnieuw.

Regina duwt hem opnieuw van zich af en wil opstaan, maar dat lukt niet. Ze is duizelig en dat vreselijke bonken in haar hoofd houdt maar niet op.

'Evert... Evert, het is niet goed... nee, Evert, ik ben zo ziek.'

Evert staat op en fluistert: 'Wacht, ik haal paracetamol voor je, dan gaat het wel over en voorlopig kun je lekker nog wat in bed blijven.'

Hij geeft haar een paar tabletten met een glas water en even later valt ze weer in slaap.

Evert neemt een douche en gaat naar zijn eigen kamer en haalt zijn bed overhoop alsof hij daar vannacht geslapen heeft. Hij kleedt zich aan en gaat naar beneden.

'Morgen, ma...'

'Zo... ben je daar al?'

'Ma, het is zondag, de rustdag, zegt de kerk en mogen wij daar ook niet van genieten?'

'Dat mag, jongen, en zeker als je midden in de nacht thuis komt.'

'Och moedertje... we hebben u toch niet wakker gemaakt vannacht?'

'Het is tegenwoordig de omgekeerde wereld.'

'Wat bedoelt u?'

'Dat midden in de nacht thuiskomen, is dat nu nodig?'

'Niet zo degelijk, ma.'

'Toen wij jong waren...'

'Toen ging u 's avonds tegen acht uur de deur uit met uw vriendin en moest u voor elven binnen zijn,' vult Evert lachend aan.

'Vind je dat gek? Het is toch normaal dat je, als je een avondje uit gaat, weer voor de nacht thuiskomt. Jullie slepen je lichaam door de hele nacht in bars en disco's rond te hangen.'

'Nou niet blijven zeuren, ma...'

'Jullie ontbijt staat in de keuken.'

'Dat is heel lief van u, ma,' zegt Evert terwijl hij zijn moeder een zoen geeft op haar wang en naar de keuken loopt.

'Komt Regina nog niet naar beneden?'

'Dat weet ik niet, ma... dan zult u zelf bij haar moeten gaan kijken. Ik mag immers niet op haar kamer komen...'

Elly kijkt haar zoon aan en zegt: 'Je denkt zeker dat ik onnozel ben.'

'Dat zou ik niet durven zeggen, ma...'

'Jullie gaan te ver, jongen.'

'Hoe bedoelt u?'

'Je hebt vannacht bij haar geslapen en daar doe je mij verdriet mee.'

Evert loopt snel verder de keuken in en geeft geen antwoord. Elly loopt achter hem aan en schenkt een glas melk voor hem in.

'Je kent haar maar kort, Evert... je weet heel goed wat ik bedoel. Regina heeft al moeilijkheden genoeg en door dat uitgaan met jou wordt het alleen maar erger voor haar.'

'Wel ja... geef mij maar de schuld. We zijn geen kinderen meer.'

'Ze is net achttien en jij twintig. Jullie hebben nog zo weinig levenservaring.'

'O... gaan we weer preken? U kunt beter net als haar familie naar de kerk gaan en ons dan heropvoeden,' lacht Evert.

'De kerk heeft hier niks mee te maken.'

'Regina was in het begin niks gewend. Ze is nu heel wat vrijer geworden.'

'Wat jou betreft en daar maak jij misbruik van.'

'Dat zijn zware woorden, ma.'

'Je weet heel goed wat ik bedoel.'

'Maar ik kan haar toch niet behandelen als een zus?'

'Dat zou wel zo fijn zijn... vroeger had ik altijd graag een dochter gewild.'

'Die krijgt u ook.'

'Hoezo?'

Evert kijkt zijn moeder aan en zegt: 'Ma... ma, ik houd heel veel van Regina...'

'Toch niet alleen van haar lichaam, hoop ik... jongen, ik heb genoeg met je vader meegemaakt. Hij hield ook zoveel van mij... maar hij begeerde alleen maar en wilde meer dan eerlijke liefde. Wat jullie doen is gevaarlijk... zeker als je nog jong bent.'

'Ma, zeur niet... er zijn jongelui die op onze leeftijd al getrouwd zijn of samenwonen, daar is toch niks mis mee?'

'Jammer dat je anders bent, dan ik van je verwacht had.'

'U bent zo geworden omdat u zelf met de verkeerde man trouwde, en nu denkt u dat alle mannen zo zijn.'

'Nee, Evert, dat is niet waar... Jullie spelen met de liefde terwijl je niet eens zeker weet of je wel bij elkaar blijft. Jullie zijn nog helemaal niet zeker van elkaar.'

'U gaat wel erg ver, ma... hoe kunt u nou weten of ik niet echt van Regina houd?'

'Het kan zijn dat je van haar houdt, maar weet je zeker dat ze ook van jou houdt?'

'Dat voel je gewoon aan.'

'Dus jij denkt dat het van haar kant ook echte liefde is voor jou? Liefde is een duur goed, jongen. Je zult er als het goed is je hele leven mee moeten doen en dat is mij ook niet gelukt. Ik hield van je vader en mis hem erg en heb veel pijn om hem... hij had niet genoeg aan mijn liefde. Je kunt elkaar veel pijn doen. Liefde is net zo gevaarlijk als vuur. Je kunt je er behoorlijk aan branden en die littekens binnen in je raak je nooit meer kwijt.'

'Ma... ma, u heeft vreselijk veel meegemaakt met pa, maar nu gaat u alles over een kam scheren.'

'Nee jongen... jullie willen niet meer wachten... alles mag en moet kunnen. Wij, ouderen, hebben weinig meer te zeggen. Kijk om je heen. Ze gaan met elkaar naar bed voor een nachtje plezier. Ze wonen samen en gaan na een paar jaar weer uit elkaar. Soms hebben ze dan ook nog kinderen die de dupe worden en vergeet niet al die ziektes die ze oplopen omdat ze zo vaak wisselen van partner, zoals ze dat tegenwoordig noemen.'

'Er zijn ook getrouwde stellen die al snel gaan scheiden en

waarvan er één met een ander gaat, dat zegt allemaal niks.'
'Ik ben je vader altijd trouw gebleven. Hij was mijn man en was voor mij onmisbaar… nooit zal ik van een ander kunnen houden…' zegt Elly, terwijl ze haar zoon aankijkt met betraande ogen.
'Wat heeft dit allemaal met mij te maken, ma?'
'Ik ben zo bang dat jou hetzelfde overkomt…'
'U moet zich geen zorgen maken over mij.'
'Dat doe ik wel, jongen…'

Regina wordt tegen de middag wakker en voelt zich zwak, ziek en misselijk. Ze voelt zich ook vies en smerig. Ze staat op en loopt wankel naar de badkamer. Ze is net op tijd bij het toilet om vreselijk over te geven.

Ze gaat zich douchen, maar als ze zich gedoucht heeft ,voelt zij zich nog smerig. Ze voelt zich misbruikt door Evert. Heel vaag kan zij zich nog herinneren wat er gebeurde toen hij bij haar in bed lag. Ze voelt zich ziek en zwak.

Als ze de kamer binnenkomt, is daar Elly die haar aankijkt en vraagt: 'Lekker uitgeslapen?'

Regina knikt en gaat op de bank zitten.

'Zal ik het ontbijt bij je brengen?'

Regina schudt haar hoofd.

'Volgens mij ben je niet in orde. Je ziet zo bleekjes.'

Regina houdt haar handen voor haar gezicht en huilt zachtjes.

Elly gaat naast haar zitten en vraagt wat er is.

Regina schudt haar hoofd, terwijl er tranen over haar gezicht lopen.

'Heeft het met thuis te maken of met Evert?'

Ze geeft geen antwoord.

'Zal ik Evert voor je roepen?'

Regina schudt opnieuw haar hoofd.

'Jullie moeten niet zoveel drinken en niet midden in de nacht naar bed gaan. Het was vannacht ook weer veel te laat. Jullie gaan vaak in de vroege morgen naar bed, dat ben jij niet gewend... Je moet nee tegen Evert durven zeggen, als hij je mee uit neemt. Het is mijn eigen zoon... maar soms heb ik het gevoel dat hij op zijn vader gaat lijken en jou pijn kan doen... Heb ik gelijk, Regina?'

Regina gaat rechtop zitten en veegt haar tranen weg met de rug van haar hand en kijkt dan Elly aan, terwijl ze antwoordt met een zachte stem: 'Evert is goed voor mij... het is allemaal mijn eigen domme schuld...'

Dan komt Evert de kamer in. Hij ziet Regina op de bank zitten naast zijn moeder die net haar tranen droogt en hoort haar zeggen dat het haar eigen schuld is.

'Wie heeft hier schuld?' vraagt hij terwijl hij zijn moeder aankijkt.

Elly staat op en gaat voor haar zoon staan en zegt: 'Regina voelt zich niet goed, het lijkt mij verstandig dat ik jullie even alleen laat.'

Evert knikt en gaat naast Regina op de bank zitten en vraagt terwijl hij zijn hand op de hare legt: 'Heb je er spijt van, Regina?'

Regina knikt.

'Je wilde het zelf ook toen ik bij je lag...'

'Ik heb te veel gedronken en van die pillen ingenomen... het is mijn eigen schuld...'

'Maar je hoeft er geen spijt van te hebben... ik meende het echt... Regina... ik houd van je... Je mag jezelf geen schuldgevoel aanpraten. Dat komt door je opvoeding, en de kerk en zo.'

'Nee Evert... Evert, dit mag niet... we zijn te ver gegaan...

ik wil niet zeggen dat je misbruik hebt gemaakt van de situatie waar ik mij in bevond. Ik had zelf niet zoveel moeten drinken en die pillen niet moeten gebruiken, dan was het ook niet gebeurd.'

Evert omhelst haar en trekt haar naar zich toe en fluistert: 'Regina... Regina, ik houd zoveel van je... Jij bent alleen van mij. Jij bent alles voor mij... ik meen het echt, Regina.'

'Nee Evert, zover ben ik nog niet. Je bent als een broer of als een goede vriend voor mij...'

'Meer niet, Regina?'

'Nee... meer niet...'

'Ook niet na alles wat er gebeurd is vannacht?'

'Nee... nee, dat was niet echt. Het was niet goed wat wij deden...'

'Toch blijf ik van je houden,' zegt Evert die het echt meent. Regina merkt dat ook wel, toch is er iets in haar dat hem afwijst. Ze vindt hem lief en aardig, maar is niet toe aan een relatie met hem. Ze voelt zich dan ook erg schuldig en begrijpt dat het zo niet verder kan met haar.

6

Regina woont al bijna een maand bij Evert en zijn moeder. Ze kunnen goed met elkaar opschieten. Elly is als een moeder voor haar. Ze zit wel met een groot probleem. Ze vindt Evert een fijne vent, maar kan niet echt van hem houden. Hij is meer een grote broer voor haar. Bij Evert is het juist andersom. Hij houdt veel van Regina en laat dat dan ook vaak merken. Vooral als ze alleen zijn of als ze samen van een bar of een disco komen en Regina niet meer zo nuchter is en hem geeft waar hij naar verlangt. Evert denkt dan ook dat ze wel van hem houdt. Ze praat er weleens met zijn moeder over die in Regina een goede vrouw voor haar zoon Evert ziet.

Als ze die morgen samen aan de ontbijttafel zitten, vraagt Elly haar of ze niet een of andere studie wil volgen.

'Je bent nog jong en je hebt nog geen werk.'

'Eigenlijk werk ik weer liever in een of andere winkel,' antwoordt Regina.

'Zo bedoel ik het niet, Regina. Van mij hoef je nog niet te gaan werken. Je helpt mij goed in dit grote huis. Ik ben slecht ter been en vind het juist fijn dat je mij overal mee helpt, maar ik wil geen misbruik van je maken. Je weet dat ik vermogend ben en niet om geld verlegen zit. Toch is het beter dat jij jezelf beter ontwikkelt en dus een of andere studie volgt. Evert loopt nu al een tijdje stage in het ziekenhuis. Als hij later arts wordt en jij zijn vrouw wordt, dan komt er best wel veel kijken, vooral als hij huisarts wil worden. Mijn man heeft een groot makelaarskantoor en ik heb hem daar vaak in bijgestaan. Toen hij voor een andere vrouw koos moest ik ermee stoppen en mij terugtrekken uit de zaak.'

'Bent u daarom zo rijk?'

'Dat niet alleen. Van huis uit heb ik zelf ook veel geërfd, onder andere dit grote huis dat van mijn ouders is geweest. Mijn vader handelde veel in onroerend goed. Hij was een soort projectontwikkelaar en liet ook veel huizen bouwen en verkocht ze dan weer door. Helaas leven mijn ouders al een tijdje niet meer. Ze zijn jong, kort achter elkaar gestorven aan een ziekte. Evert was gek met zijn grootouders. Vooral toen ze ernstig ziek waren. Mijn vader is gestorven aan kanker en vlak daarna stierf mijn moeder. Ze had een hartkwaal en is daaraan gestorven en sinds die tijd wil Evert arts worden. Hij vond dat de artsen zijn opa en oma niet goed behandeld hadden en dat ze nog geleefd hadden als ze er eerder bij geweest waren. Vooral bij mijn vader die longkanker had en het vaak benauwd had. Evert vond dat de artsen die hem behandelden te weinig deden om hem in leven te houden en mijn vader te veel lieten lijden. Hij vond ook dat ze mijn moeder, die een hartaanval kreeg, niet goed behandeld hadden. Evert dacht toen nog, als hij arts zou zijn, iedereen beter te kunnen maken. Hij is eigenlijk te goed van karakter en te zacht om arts te zijn. Hij heeft te snel medelijden met mensen die ernstig ziek zijn en denkt dat hij tot het uiterste moet gaan en dat kan niet altijd, soms moet je het opgeven.'

'Toch vind ik het goed van hem. Hij werkt hard aan zijn studie,' zegt Regina.

'Daar heb je gelijk in.'

'Waarom gaat u niet wat vaker uit?'

'Hoe bedoel je?'

'U bent vaak zo alleen en gaat nooit eens echt uit. U moet eens vaker ergens zomaar gezellig uit eten gaan of zo.'

'Dat doen wij samen toch weleens… alleen, jullie hebben

in het weekend geen tijd voor mij,' lacht Elly.

'Jammer dat u geen vrienden heeft om mee uit te gaan. U zit te veel thuis.'

'Die tijd heb ik gehad, Regina, en ik ben graag thuis. Af en toe wat winkelen en een keer met jullie uit eten is voor mij al genoeg.'

'Toen u nog samen met uw man was, ging u toen vaak uit?'

'In het begin wel… later had mijn man geen tijd meer voor mij. Hij moest vaak voor de zaak weg en liet mij 's avonds alleen en ook hele weekenden totdat hij met zijn vriendin op de proppen kwam…'

'Dat moet voor u heel erg geweest zijn.'

'Dat is het nog, Regina… Echte liefde laat je niet zo makkelijk los en het blijft pijn doen als je man van een ander houdt.'

'Als hij weer bij u terug zou komen… wat zou u dan doen?'

'Dat zou heel moeilijk zijn, kind… soms verlang ik erg naar hem en kan ik niet begrijpen waarom hij voor een ander koos. We waren zo gelukkig samen in het begin. Het ging steeds slechter toen hij goede zaken deed en bijna nooit thuis was.'

'Jammer… u bent zo'n goede vrouw…'

'Ach, Regina… ik had ook mijn fouten.'

'Dat kan ik haast niet geloven.'

'Toch wel… je komt er later pas achter. Ik hield veel van mijn man en liet hem te veel zijn eigen gang gaan. Ik was te druk met andere dingen, vooral met Evert mijn enige zoon.'

'Dat is toch normaal. U mag toch goed zijn voor uw zoon?'

'Vaak was ik te veel bezig met Evert en daar kon mijn man niet tegen. Hij was vaak jaloers als ik te veel aandacht aan Evert schonk en hem verwende.'

'Dat heb ik nog niet gemerkt, dat valt best mee,' zegt Regina, die wel beter weet en vaak genoeg merkt dat Evert een echt moederskindje is en alles van haar krijgt.

'Jammer dat jullie vaak naar die bars en disco's gaan en dan te veel drinken,' zegt Elly, terwijl ze Regina ernstig aankijkt.

'U bent ook jong geweest en dan moet je genieten van het leven.'

'Onze jeugd was zo anders dan die van jullie.'

'Dat zal wel... mijn ouders hadden het daar ook vaak over en dat vind ik vaak wat overdreven.'

'Zo denkt Evert er ook over. Toch is al dat drinken niet goed voor jullie.'

'Alleen in het weekend en af en toe een avondje naar een bar met vrienden.'

'Houd je wel van Evert?' zegt Elly dan ineens.

'Nou ja... echt houden van is anders. Liefde moet groeien volgens Evert.'

'Heb je weleens van een andere jongen gehouden?'

'Nee, niet echt.'

'Zou je altijd bij Evert kunnen blijven?'

'Dat denk ik wel... hij is erg goed en lief voor mij.'

'Jullie leven als vrouw en man met elkaar en daar moet je mee oppassen, meisje,' zegt Elly voorzichtig.

'Tegenwoordig is het normaal. Evert houdt veel van mij en ik...'

'En dan geef jij hem zijn zin,' vult Elly aan.

'Soms zijn we echt verliefd... en dat moet kunnen,' antwoordt Regina.

'Regina... liefde moet van twee kanten komen. Het gaat niet alleen om het genieten van elkaar. Je moet er altijd voor elkaar zijn en elkaar als het ware niet kunnen missen.'

'Dat gaat mij te ver. Ik wil zelf beslissen over mijn leven en daar laat ik Evert ook vrij in,' antwoordt Regina eerlijk.

'Als je echt van elkaar gaat houden, dan wil je alleen het goede voor elkaar.'

'Daar bent u ook achter gekomen...' zegt Regina er snel achteraan.

'Je hebt gelijk... ik hield te veel van mijn man. Hij kon mij missen toen hij die ander ontmoette en kreeg er geen spijt van.'

'Heeft u hem dat gevraagd?'

'Ja... hij hield te veel van die ander...'

'Dat deed zeker wel pijn...?'

'Dat wel... we zijn eerlijk uit elkaar gegaan, al bleef ik van hem houden. Hij kon mij niet liefhebben zoals die vrouw en dan gaat het niet meer.'

'Daar heeft u gelijk in,' geeft Regina toe.

'Daarom moet jij ook weten hoe het met jou en Evert staat,' begint Elly opnieuw.

'Daar maak ik mij nu nog niet druk om.'

'Toch zul je moeten kiezen, Regina, en je moet wel eerlijk zijn tegenover Evert.'

'Dat doe ik ook... hij weet hoe ik erover denk en dat blijft tussen ons.'

'Dat begrijp ik,' zegt Elly met een wat ontevreden gevoel.

'Zal ik vandaag de kamer eens een goede beurt geven?' zegt Regina terwijl ze opstaat van de ontbijttafel.

'Waarom bid en dank je nooit meer... in het begin toen je bij ons kwam, deed je dat nog weleens.'

'Waarom zou ik... jullie doen het toch ook niet?'

'Jij bent thuis anders opgevoed.'

'Ik heb geen thuis meer en voel mij hier op mijn gemak en dus houd ik mij aan de regels van dit huis.'

'Verlang je nooit meer naar je ouderlijk huis?'

'Waarom zou ik?' antwoordt Regina wat onverschillig.

'Ben je nog steeds kwaad op je moeder?'

'Daar praat ik liever niet meer over. Ze is nu gelukkig met haar man en dat is mij best.'

'Klinkt daar niet een beetje jaloezie in door, Regina?'

'Niet dat ik weet.'

'Ga eens een keer praten met je moeder. Je bent er verstandig genoeg voor.'

'Dat kan ik niet meer… ze heeft mijn vader verloochend.'

'Zal ik een keer met je meegaan?'

'U moet daar niet meer over praten,' antwoordt Regina kort.

'Oké… dus je wilt bij ons blijven?'

'Als dat zou kunnen?'

'Doe je dat om Evert of gewoon om onderdak te hebben,' zegt Elly dan wat cru.

'Dat weet ik zelf niet. Als u mij zat bent, dan ga ik wel ergens op kamers,' antwoordt Regina nu kort.

'Zo bedoel ik het niet. Evert is blij dat je bij ons woont en kent jouw verdriet. Toch moet jij je jeugd niet zo voorbij laten gaan. Je kunt beter weer naar school gaan en je studie afmaken. Volgende week begint het nieuwe schooljaar weer. Ga je opgeven en ga verder met je studie.'

'Waar studeer ik dan voor?'

'Je kunt havo proberen, mavo heb je al.'

'Eigenlijk ga ik liever werken… soms weet ik het zelf niet meer.'

'Zullen we dan maar afspreken dat jij je gaat opgeven voor het nieuwe studiejaar?'

Regina haalt haar schouders op en denkt: waarom ook niet? Het is allemaal gekomen door haar moeder, toen die een nieuwe vriend had en zij moest maar zien. Vroeger had ze nog steun aan haar vader en nu eigenlijk aan deze mensen die echt veel om haar geven, al zijn ze niet christelijk. Naar welke school zal ze gaan? Gewoon maar naar de school waar ze vroeger op heeft gezeten voor ze ging werken bij een supermarkt.

'Afgesproken?' vraagt Elly aan haar.

'Oké, maar ik ga wel naar mijn oude school.'

'Groot gelijk, kind, wat zal Evert blij zijn dat jij je studie weer oppakt. Probeer er ook met je moeder over te praten, daar doe je ons veel plezier mee.'

'Dat kan ik nog niet,' antwoordt Regina eerlijk.

De week daarop zit Regina weer op school. Het is voor haar wel weer even wennen zo de hele dag naar school. Veel jongens en meisjes kent ze nog wel. Ze heeft zo weer een groep vrienden en vriendinnen om zich heen en ze vertelt dat ze verkering heeft met Evert Vonders, die jongen uit dat grote witte huis.

De eerste weken heeft ze het moeilijk. Ze is het vrije leventje zo gewend. Vooral 's maandags als ze het weekend weer behoorlijk zijn doorgezakt en ze weer te veel gedronken heeft en ook de nodige drugs gebruikt.

Doordeweeks gaan ze weleens uit met vrienden van Evert, dan drinken ze ook vaak te veel. Evert weet hoe ver hij gaan kan in verband met zijn studie. Regina heeft het vaak moeilijk op school. De leerkrachten waarschuwen haar en hebben in de gaten dat zij niet meer de Regina van vroeger is. Ze praten dan ook met haar.

'Regina, wij waarderen het dat je weer naar school bent gekomen. Toch gaat het niet zo goed met je. Heb je daar zelf een verklaring voor?'

'Ik doe mijn best, meneer...'

'Je kunt het wel, maar vaak is je hoofd er niet bij en ben je met andere dingen bezig. Kom je nog steeds niet thuis?'

'Nee...'

'Heb je er moeite mee?'

'Waar moet ik moeite mee hebben?'

'Dat je moeder hertrouwd is.'

Regina knikt.

'Zal ik eens met je moeder gaan praten?'

'Nee... ik heb hier zelf voor gekozen en woon nu bij mijn vriend en zijn moeder, dat weet u heel goed.'

'Heb je echt verkering met die jongen?'

'Hoezo?'

'Regina... we moeten eerlijk zijn tegenover elkaar. Als er moeilijkheden zijn, waardoor je studie in gevaar komt, praat er dan gerust met mij over.'

'Nou ja... ik zie het wel; als het niet lukt, dan stop ik ermee en ga ik werken,' antwoordt Regina.

'Dat zou jammer zijn, Regina... wij zijn er om je te helpen.'

'Goed, meneer... ik zal mijn best doen.'

'Fijn, Regina... als je met mij wilt praten, dan hoor ik het wel. Zul je dat niet vergeten?'

Regina knikt en staat op en geeft de leraar een hand.

Op een middag staat haar moeder bij de school. Regina ziet haar staan en knikt alleen maar tegen haar en wil dan met een paar vriendinnen doorlopen.

'Regina, kan ik je even spreken?'

'Waarover?'

'Loop je even met mij mee?'

'Oké...' Ze groet haar vriendinnen en loopt met haar moeder mee.

'Fijn dat je weer naar school gaat.'

'Waar wilt u met mij over praten?' vraagt Regina kort.

'Gaat het goed op school?'

'Dat kunt u beter aan de leraren vragen.'

'Dat heb ik ook gedaan.'

'Waar bemoeit u zich mee?'

'Je bent mijn dochter en ik heb daar het recht toe.'

'Daar denk ik anders over.'

'Waarom blijf je zo dwars, Regina?'

'Dat weet u heel goed.'

'Nog steeds omdat ik met Arie getrouwd ben?'

'Dat heeft u goed.'

'Je bent toch geen kind meer. Je hebt nu zelf toch ook een vriend?'

'Dat kan wel waar zijn... maar u bent vader vergeten en dat kan ik niet aanvaarden,' antwoordt Regina fel.

'Nooit zal ik je vader vergeten... Arie komt op de tweede plaats wat dat betreft. Je vader is al ruim twee jaar geleden overleden. Moet ik dan alleen blijven omdat jij het niet wilt begrijpen?'

'U kunt een voorbeeld nemen aan Elly.'

'Wie is Elly?'

'De moeder van Evert.'

'Wat heb ik daarmee van doen?'

'Zij is ook alleen en houdt nog steeds van haar man terwijl hij haar in de steek liet en er met een ander vandoor ging.'

'Dat is heel wat anders dan dat je weduwe bent.'

'Zo denkt u erover.'

'Regina, waarom kom je niet gewoon weer naar huis?'

'Ik heb het goed naar mijn zin bij Evert en zijn moeder.'

'Zij heeft mij opgebeld en vindt het ook beter dat je weer naar huis gaat.'

'Heeft Elly u opgebeld?'

'Nou ja… ik heb haar gebeld, omdat ik niks meer van je hoorde.'

'U moet mij niet steeds lastig vallen… ik heb recht op een eigen leven.'

'Maar ik ben je moeder…' zegt Thea, terwijl ze Regina bij haar arm vasthoudt. Regina rukt zich los en wil weglopen.

'Je gaat nooit meer naar de kerk en je slaapt zeker met die jongen?'

'Wie zegt dat?'

'Heb ik gelijk?'

'Wat gaat het u aan?'

'Het is niet goed, Regina… deze mensen zijn anders dan je bent opgevoed. Je vader zou er ook verdriet van hebben…'

Zonder antwoord te geven rent Regina weg en haar moeder blijft alleen achter.

Als ze thuiskomt en Elly alleen in de keuken ziet zitten, vraagt ze: 'Heeft mijn moeder gebeld?'

'Ja, waarom…?'

'U moet haar niet alles vertellen. Ze wachtte mij op school op.'

'O… wat heb ik verkeerd gedaan?'

'Dat ik weleens met Evert slaap en zo…'

'Mag ik je moeder niet de waarheid vertellen als ze daarom vraagt?'

'Echt weer iets voor mijn moeder.'

'Hoe bedoel je?'

'U uithoren.'

'Daar heeft ze als moeder recht op. Je bent nog steeds haar dochter. Waarom ben je zo dwars tegen je moeder? Zij wil het goedmaken met je en heeft veel verdriet om je.'

'Dat kan best waar zijn, maar ik ben geen kind meer en

woon nu bij jullie. Evert en u zijn goed voor mij.'

'Toch mag jij je moeder niet zo behandelen... je weet dat ik mij dan ook schuldig ga voelen, Regina.'

'Waarom zou u zich schuldig moeten voelen?'

'Waarom maak je het niet goed met je moeder en ga je niet weer bij haar wonen?'

'Dat wil Evert niet en als u er nog een keer over zeurt, dan huur ik wel samen met Evert ergens een flatje,' zegt Regina kort.

'Als het zo ligt, dan zal ik mij er niet meer mee bemoeien en zoeken jullie het samen maar uit. Het is wel hard voor je moeder...'

Regina gaat zonder nog wat te zeggen naar haar kamer en gooit de deur driftig achter zich dicht.

7

'Ken jij die jongen?' vraagt een van de meisjes die met Regina meelopen naar het fietsenhok van de school.

'Welke jongen?'

'Kijk, daar staat hij...'

Regina ziet een jongen met een donkere bril op tegen een blauwe sportwagen geleund staan.

'Knappe gozer.'

'Hij kijkt steeds naar jou.'

'Moet hij weten,' zegt Regina onverschillig, die gewend is dat vaak jongens naar haar kijken. Ze weet van zichzelf dat ze aantrekkelijk is met haar lange blonde haar en mooie figuur en niet te vergeten door de manier waarop ze de laatste tijd gekleed gaat. Ze draagt korte rokken en gebruikt make-up.

Regina start haar scooter en steekt de hand op naar de andere meisjes die op hun fiets de andere kant op rijden. Ze rijdt vlak langs de jongen die nu zijn donkere bril heeft afgezet en zijn hand vriendelijk tegen haar opsteekt. Ze ziet dat het een knappe vent is met donker haar en dat hij er erg sportief uitziet met zijn leren jack aan. Ze knikt tegen hem en rijdt richting de stad. Bij een snackbar stopt ze. Ze zet haar felgele scooter op de standaard op de stoep en bestelt een patat met cola.

Dan is er een stem naast haar: 'Hoi...'

Regina kijkt de jongen aan, die een kop groter is dan zij. Hij kijkt haar vriendelijk aan met zijn donkere ogen. Hij bestelt een kroket met een pils.

Regina doet net of ze niks met hem te maken wil hebben en gaat aan een van de tafeltjes zitten. Ze haalt uit haar rugtas een boek om nog wat leerstof door te nemen.

'Mag ik bij je aan tafel komen zitten?' vraagt de jongen vriendelijk.

Regina kijkt om zich heen en antwoordt: 'Er is anders plaats genoeg.'

De jongen lacht vrolijk. Hij heeft een soort overwicht door zijn manier van doen en zijn knappe sportieve uiterlijk.

Hij gaat tegenover haar zitten en kijkt wat in het rond. 'Gezellig is anders,' zegt hij dan met een glimlach.

Regina doet net of ze hem niet hoort en bladert wat in haar boek en maakt wat aantekeningen met haar pen.

'Heb je het naar je zin op school?'

'Vroeg ik je wat?' antwoordt Regina kort.

'Nou… een beetje aardiger kan ook wel.'

Regina haalt haar schouders op en slaat haar ogen neer. Ze voelt vanbinnen iets wat ze niet thuis kan brengen. Deze jongen is anders dan andere jongens die ze kent en waar ze mee omgaat op school. Hij is ook anders dan Evert. Deze jongen heeft gewoon iets.

Als ze haar patat op heeft en een laatste slok uit het flesje cola neemt en op wil staan, pakt hij haar bij de arm en vraagt: 'Ken ik jou ergens van?'

'Zou best kunnen,' antwoordt Regina, terwijl ze haar rugtas van de grond pakt en haar boek erin doet.

'Volgens mij heb ik jou eerder gezien,' houdt de jongen vol.

'Je stond bij de school, maar verder heb ik niks met jou te maken.'

'Zeg, wat ben jij vriendelijk.'

'Laat mij dan met rust…'

'Waarom zou ik?'

'Doe een beetje gewoon… oké?'

Als ze buiten komen, gaat de jongen bij haar scooter staan. Regina gaat op haar scooter zitten en start hem.

'Gaaf ding...'

'Ga jij maar naar je sportwagen,' lacht Regina nu wat vriendelijker. Ze merkt dat de jongen geen verkeerde bedoelingen heeft en gewoon contact met haar zoekt.

'Heb je zin om een eindje met mij te gaan rijden in mijn sportwagen?'

'Waarom zou ik?'

'Het is met dit warme weer lekker koel in zo'n sportwagen met open dak.'

'Wat dacht je van mijn scooter?'

'Mijn wagen gaat heel wat sneller,' lacht de jongen vriendelijk terwijl hij zijn handen op het stuur van haar scooter houdt. 'Heb je zin?'

'Dacht je dat ik gek ben?'

'Moet je daar gek voor zijn?'

'Nou ja...' zegt Regina, die plotseling zijn hand op de hare voelt terwijl hij haar aankijkt met zijn donkere aantrekkelijke ogen. Ze raakt er wat door in de war vanbinnen. Wat heeft deze jongen die ze helemaal niet kent dat andere jongens niet hebben? Is het zijn manier van doen, zijn charme of dat knappe gezicht met die donkere ogen en dat pikzwarte haar? Zijn het die ogen die haar in verwarring brengen?

'Kom op, joh... het is prachtig weer en nog lekker vroeg in de middag. Heb je zin?' vraagt hij beleefd terwijl hij nog steeds haar hand vasthoudt op het stuur van de scooter. Ze heeft haar hand niet teruggetrokken.

'Maar ik ken je niet... en, nou ja...'

Hij pakt haar hand wat steviger vast en zonder verder nog wat te zeggen loopt ze met hem mee naar zijn wagen. Hij houdt het portier van de wagen voor haar open en springt zelf lenig aan de andere kant achter het stuur.

Hij start de motor terwijl hij haar vriendelijk aankijkt. Voor ze het merkt rijden ze op de snelweg met een vaart van honderdvijftig kilometer per uur.

'Je rijdt te hard... zo krijg je een bekeuring en komen ze achter je aan...'

'Zoeken ze jou? Heb je wat op je geweten?' lacht de jongen.

'Man, rijd niet zo hard, zo krijgen we een ongeluk.'

'Oké... jongedame. Jij krijgt je zin.'

Hij slaat af en gaat de snelweg af. Ze rijden langs een rivier. Hij rijdt nu wat langzamer over een dijk. Dan stopt hij en kijkt haar aan en vraagt: 'Hoe heet je eigenlijk... ik ben Ricky.'

'Regina...' zegt ze toch wat verlegen.

Bij deze jongen voelt zij zich de mindere. Hij is zo mannelijk. Heel anders dan andere jongens. Heel zijn doen en laten doet haar wat.

'Regina... een mooie naam.'

Zoals hij haar naam zegt met zijn mannelijke stem en een soort accent, klinkt hij op een bepaalde manier heel warm.

'Dus je zit nog op school?'

Regina geeft geen antwoord.

'Heb je het naar je zin op school?'

'Wat kan jou dat nou schelen,' antwoordt Regina, die krampachtig haar best doet om zich niet in te laten palmen door de eerste de beste jongen die haar meeneemt in zijn sportwagen. Ze lijkt wel gek. Wat zal Evert wel niet van haar denken... ach, wat heeft ze met Evert te maken. Hij kan niet tippen aan deze jongen en het is toch haar eigen leven. Ze mag toch uitgaan met wie ze zelf wil en deze jongen heeft gewoon iets wat haar aantrekt... mag het... Het is alsof zij zich zelf moed probeert in te praten, terwijl een stemmetje in haar binnenste haar waarschuwt voor deze knappe jongen die haar zomaar meeneemt zonder dat ze elkaar kennen. Hij kan ook verkeerde bedoelingen met haar hebben. Ze zal de eerste en de laatste niet zijn.

'Waarom stond je bij onze school te wachten?'

De jongen kijkt ernstig voor zich uit en antwoordt wat emotioneel: 'Ik heb daar vaker gestaan… maar jij zag mij nooit.'

'Waarom doe je dat dan?'

Hij kijkt haar aan en fluistert: 'Regina, ik heb je een paar keer gezien en wilde je graag eens ontmoeten… ik wilde je beter leren kennen. Je bent erg knap van uiterlijk, maar je innerlijk is voor mij nog belangrijker.'

'Je bent wel een beetje vreemd, hoor… Je valt toch zomaar niet op een vreemd meisje?'

'Jij bent voor mij niet vreemd. Ik heb je al vaak gezien en kan je niet vergeten, Regina…echt, ik meen het… Vind je het erg, Regina…? Ik kan niet anders. Ik verlangde een keer alleen met je te zijn en je eens echt te leren kennen. Ik wilde weten hoe je in werkelijkheid bent. Ik voelde mij aangetrokken tot jou, maar jij zag mij nooit. Dagen stond ik bij de school of volgde ik jou. Ik durfde je eerst niet aan te spreken… nu is het mij dan toch gelukt. Je zult mij wel vreemd vinden…'

'Nou ja…'

'Woon je nog bij je ouders?'

'Nee…' antwoordt Regina, die nog wat onder de indruk is van het feit dat deze jongen zomaar verliefd op haar is. Ze weet dat ze best knap van uiterlijk is, maar deze jongen kan aan elke vinger wel een meisje krijgen en zeker niet alleen door zijn sportwagen, hoewel meisjes daar ook wel op vallen.

Regina vindt hem ook bijzonder. Het is een jongen die haar hart sneller doet kloppen... ze mag het alleen niet laten merken. Steeds is daar opnieuw dat waarschuwende stemmetje, hoewel het steeds zwakker wordt en zij het zelf hoe langer hoe meer tot zwijgen brengt.

'Woon je op jezelf of op kamers of zo?'

'Nee... bij een vriend,' antwoordt Regina eerlijk.

'Dus je hebt een vriend?' vraagt Ricky dan wat verbaasd.

'Ja... vind je het gek?' lacht Regina vrolijk als ze zijn gezicht ziet vertrekken van verbazing.

'Nou ja... daar ben ik niet zo blij mee...'

'Ach, zo'n ritje in jouw sportwagen kan toch geen kwaad?'

'Dat niet, nee... maar je vriend zal het niet zo leuk vinden.'

'Dat zal hij zeker niet. Hij is erg jaloers.'

'Houd je echt van hem?' vraagt Ricky terwijl hij haar ernstig aankijkt.

'Nee... niet echt...'

'Waarom woon je dan met hem samen?'

'Dat is een verhaal apart. Eigenlijk woon ik bij zijn moeder.'

'Dus hij woont nog bij zijn moeder en jij bent bij hen ingetrokken, dat is lekker voordelig,' zegt Ricky dan opgelucht.

'Het wordt tijd dat ik naar huis ga,' zegt Regina, als ze ziet hoe Ricky haar aankijkt. Hij pakt haar hand en trekt haar naar zich toe zonder wat te zeggen. Ze kijkt in die donkere ogen die steeds dichterbij komen en die geen nee accepteren. Hij drukt zijn lippen op de hare. Ze raakt even in de ban van zijn vurige liefde maar voelt dan dat dit niet goed is. Ze duwt hem van zich af en gaat rechtop zitten.

'Kun je niet van mij houden, Regina... of mag het niet van die vriend van je?'

'Daar heeft hij niks mee te maken,' antwoordt Regina kort.

'Volgens mij wel...'

'Hoezo?'

'Je voelt je geborgen bij hem.'

'Hoe kun jij dat nu weten?'

'Woont hij soms in dat grote witte huis?'

'Hoe weet jij dat?' vraagt Regina verbaasd.

'Ik zei toch dat ik je van school overal volgde totdat ik de moed kreeg om met je te praten.'

'O... ja, hij woont met zijn moeder in dat witte huis.'

'Zonder hem ben je dakloos, of is zijn moeder een kennis of zo van je?'

'Nee...'

'Je hoeft het mij niet te vertellen, hoor... toch heb ik het er wel moeilijk mee...'

'Hoezo?'

'Nou ja... die vriend is natuurlijk stapel op jou?'

'Maar ik niet op hem...'

'Weet hij dat?'

Regina haalt haar schouders op.

'Dus hij weet dat niet maar hij houdt wel van jou?'

'Daar kun je wel eens gelijk in hebben.'

'Heb je geen ouders meer?'

'Mijn moeder leeft nog.'

'Waarom woon je niet bij haar?'

'Ze is hertrouwd... ik praat hier liever niet over met vreemden...'

'Ben ik dan nog een vreemde voor je, Regina?' vraagt Ricky terwijl hij haar hand opnieuw pakt.

'Nee, dat niet... toch kun je mij beter met rust laten... laten we maar teruggaan,' zegt Regina, terwijl ze haar hand terugtrekt en aan haar moeder denkt en ook aan haar vader die ze zo mist in haar nog jonge leven.

'Mag je niet meer thuiskomen?' vraagt Ricky voorzichtig.

'Dat gaat je niks aan... laten we nu maar gaan.'

'Oké...' Ricky start de motor van zijn wagen en rijdt via de dijk terug naar de snelweg waar hij nu rustig rijdt.

Ze zijn alle twee stil. Ze kijken elkaar af en toe aan van opzij. Regina krijgt het gevoel dat ze hem pijn heeft gedaan en vraagt: 'Waarom rijd je nu zo langzaam terwijl we op de snelweg zitten... iedereen passeert ons?'

'Ik wil je zo lang mogelijk bij mij hebben,' antwoordt Ricky terwijl hij haar ernstig aankijkt.

'O...' zegt Regina, die niet weet wat ze zal zeggen en voelt dat ze het vreselijk zou vinden om hem te missen en hem nooit meer terug te zien.

Als ze bij de snackbar stoppen, waar haar scooter staat en ze uit de sportwagen stapt, vraagt Ricky: 'Mag ik je nog een keer ontmoeten, Regina?'

Regina haalt haar schouders op en durft hem niet aan te kijken. Hij pakt haar hand en fluistert: 'Toe joh... laten we een afspraak maken, dan gaan we samen gezellig een keer uit?'

'Zeg het maar... liever niet het weekend, dan krijg ik moeilijkheden met mijn vriend.'

'Oké, morgenavond?'

'Je laat er geen gras over groeien,' lacht Regina.

'Morgenavond om acht uur hier, oké?'

'Dat zal gezellig worden hier in de snackbar met een patatje en een cola,' plaagt Regina.

'Daar kom je wel achter, meisje,' antwoordt Ricky met een buitenlands accent.

Regina stapt op haar scooter en rijdt weg. Ze kijkt nog een

keer achterom en ziet dat hij zijn hand opsteekt. Ze zwaait terug.

Regina loopt de keuken door, waar Elly druk bezig is met het eten klaarmaken.

'Je bent laat, Regina... uit geweest?'

'Nee... even een patatje genomen met mijn vriendinnen.'

'O, leuk... gaat het goed op school?'

'We doen ons best,' antwoordt Regina vrolijk.

Ze loopt de kamer in en ziet Evert achter een krant zitten.

'Hoi opa,' zegt ze vlot.

'Wat ben jij vrolijk... heb je wat op of zo?'

'Wat moet ik op hebben?' vraagt Regina agressief.

'Je weet maar nooit tegenwoordig op school. Ze gebruiken daar van alles.'

'Doe gewoon, man, bij jullie in het ziekenhuis zeker niet.'

'Dat zijn geneesmiddelen.'

'Jullie snoepen ook vaak uit de pot, heb ik weleens gehoord.'

'Dat gaat niet zo gemakkelijk. Wij kunnen alleen medicijnen voor de patiënten krijgen uit de apotheek van het ziekenhuis.'

'Dan geven jullie gewoon de patiënten wat minder en snoepen jullie van hun medicijnen,' plaagt Regina.

'Je bent wel erg opgewekt vandaag, zeg. Zeker op de schoot van een of andere leraar gezeten,' grapt Evert.

'Jij denkt altijd aan zulke dingen. Jullie, verpleegkundigen en artsen kunnen er ook wat van.'

'Wat bedoel je daarmee?'

'Waar mannen en vrouwen samenwerken gebeuren vaak rare dingen.'

'Wat voor rare dingen?'

'Zoals verpleegsters met artsen en zo.'

'Verdenk je mij van zoiets?'

'Van mij mag je, hoor,' lacht Regina als ze het gezicht van Evert ziet.

'Dus dan zou je niet jaloers zijn?'

'Waarom zou ik?'

Evert staat op, maar kijkt eerst naar de keukendeur waarachter zijn moeder met het eten bezig is en loopt dan naar Regina die op de bank is neergeploft en gaat naast haar zitten. Hij wil haar zoenen.

'Nee joh... we gaan zo eten...'

'Wat heeft dat er nou mee te maken?'

'Heel veel, op een lege maag kan ik geen zoen verdragen, snap je?'

'Nee, niet helemaal.'

'Denk dan maar eens diep na, aankomend doktertje.'

'Regina, geef je eigenlijk wel om mij?'

'Heel veel,' antwoordt Regina terwijl ze plagend naar hem lacht.

'Je neemt mij in de maling, Regina.'

'Dat zou ik niet durven, jongen.'

'Waarom ben je de laatste tijd zo afstandelijk... je bent alleen maar lief als je te veel gedronken hebt.'

'Ik zeg toch net, dat ik niks kan verdragen op een lege maag,' lacht ze opnieuw.

'Toch gaat het niet goed tussen ons... je moet eerlijk zijn.'

'Dat ben ik ook. Je weet wat ik gezegd heb en daar moet je rekening mee houden.'

'Wat bedoel je daarmee?'

'Dat ik je niet elk moment van de dag om de nek vlieg.'

'Dat hoeft ook niet... ik verwacht alleen wat meer liefde van jouw kant. We wonen hier samen en jij sluit je avonden alleen in je kamer op… ben je bang voor mij?'

'Er is al te veel gebeurd en dat wil ik gewoon niet meer en zeker voor je moeder niet.'

'Ik heb niks met mijn moeder te maken.'

'Maar ik wel… ze is goed voor mij en daar wil ik geen misbruik van maken.'

'Je vergeet dat je hier door mijn toedoen terecht bent gekomen.'

Regina geeft geen antwoord en gaat de tafel dekken.

8

De volgende dag, als Regina uit school komt, staat haar broer Dennie haar op te wachten bij de fietsenstalling van de school.

'Wat moet jij hier?' vraagt ze verbaasd.

'Regina, kan ik even met je praten?'

'Waarover?'

'Regina, ik ben je broer.'

'O, dat is waar ook. Sorry, dat ik daar niet aan dacht,' spot ze.

'Doe niet zo vreemd, Regina.'

'Je hebt toch een vreemde zus. Niet dan?'

'Daar gaat het nu niet over. Je bent mijn zus en ik wil even met je praten.'

'Heeft ma je gestuurd?'

'We zijn bezorgd om je.'

'Mijn grote broer is bezorgd om zijn kleine zusje. Toch lief van je, wat wil je van me?'

'Ga je mee naar je moeder?'

'Dus toch ma.'

'Je moeder heeft het erg moeilijk, Regina.'

'Ze heeft toch een man, waar maakt zij zich druk over?'

'Je hoort thuis te zijn en niet bij die vent met zijn moeder.'

'Jullie kunnen nog veel leren van die vent met zijn moeder,' antwoordt Regina kort.

'Die mensen doen nergens aan en proberen je in te palmen.'

'Dat is niet waar... door Elly ben ik weer naar school gegaan.'

'Wie is Elly?'

'Dat is de moeder van die vent, weet je wel.'

'Oké... laten we even naar ma gaan. Je bent sinds haar trouwen nooit meer thuis geweest en je laat niks meer van je horen. Ze wil met je praten.'

'Jullie moeten mij hier op school niet lastigvallen.'

'Weer een ander?' roept een van de meisjes naar Regina.

'Nee, dit is mijn broer. Jammer voor je, hij is al getrouwd,' roept Regina vrolijk terug.

'Maakt niet uit,' zegt een van hen.

'Laten we gaan... ik ben met de auto. Ga je mee?'

'Oké...' geeft Regina nu toch toe, als ze haar broer er zo zielig bij ziet staan.

Ze stapt in de auto van Dennie.

'Waarom kom je me eigenlijk precies vandaag halen?'

'Weet je niet welke dag het vandaag is?'

'Woensdag, als ik het goed heb. Moet jij vandaag niet werken, of heb je geen werk meer?'

'Ik heb een hele dag vrij genomen.'

'Voor je moeder?'

'Ja...' antwoordt Dennie wat kort.

Ze stoppen voor de flat.

Regina is nerveus en heeft al spijt dat ze toch mee is gegaan. Wat heeft ze hier nog te zoeken? Oké... haar moeder woont hier en zij heeft hier gewoond. Maar het roept ook weer heel sterk de herinneringen aan haar vader op als ze de flat ziet en dat maakt haar verdrietig.

Dennie kijkt haar aan en vraagt: 'Heb je het er moeilijk mee?'

Regina geeft geen antwoord. Als ze naar de verdieping gaan waar ze met haar ouders heeft gewoond, krijgt ze het even benauwd en krijgt ze de neiging om weg te lopen. Ze blijft op de galerij staan, kijkt Dennie aan en vraagt: 'Denk jij nooit meer aan vader?'

'Natuurlijk wel.'

'Vind je het niet moeilijk dan dat ma...'

'Waarom zou ik, ze heeft recht op haar eigen leven.'

'Wij dan niet?'

'Waar slaat dat nou op, Regina? Wat heeft ons leven hiermee te maken?'

'Als ik hier kom, dan mis ik pa zo erg... soms heb ik het gevoel dat ma niet echt van pa heeft gehouden. Nooit zou ik een andere man willen als ik zo'n man had gehad,' zegt Regina terwijl ze snel een traan wegpinkt.

'Dat komt omdat jij altijd pa's meisje was en dat was ook niet eerlijk van hem.'

'Dus hij schoot ten opzichte van jou tekort?'

'Als ik terugdenk aan mijn jeugd hier... ja...'

'Heeft ma dat gevoel ook altijd gehad en kon ze daarom zo snel weer met een andere man trouwen?'

'Het zou kunnen. Pa was gek met zijn kleine dochtertje.'

'Daar moet een moeder toch geen moeite mee hebben.'

'Jij was alles voor hem, hij vergat ook vaak deze dag, net zoals jij.'

'Wat bedoel je?'

'Jij bent net als je vader.'

Als ze naar binnen gaan, heeft Regina in de gaten wat Dennie bedoelde. Als ze slingers in de kamer ziet hangen, zegt ze zachtjes: 'Dat is waar ook, ma is vandaag jarig.'

Ze loopt achter haar broer de kamer in en ziet haar moeder met haar schoonzus, de vrouw van Dennie, in de kamer zitten.

Thea staat gelijk op als ze haar dochter ziet en legt haar arm om haar heen en zoent haar.

'Fijn dat je op mijn verjaardag bent gekomen.'

'Ja... ik ben alleen vergeten wat voor u te kopen...' antwoordt Regina wat verlegen.

'Geeft niet, als mijn kinderen er maar zijn. Ga zitten.'

Regina gaat zitten en kijkt de kamer rond. Als ze naar een van de kasten kijkt waarop altijd de foto van haar vader heeft gestaan, ziet ze in hetzelfde lijstje die andere man staan. De hele kamer gaat draaien en ze ziet allemaal foto's van Arie. Ze staat snel op en rent de kamer uit.

Haar moeder rent haar achterna en roept: 'Regina, wat is er... waarom ga je nu weg... het geeft niet dat je geen cadeau voor mij hebt. Je mag nu niet weggaan.'

Regina blijft in de hal bij de deur staan, kijkt haar moeder aan en zegt: 'Hoe kunt u... nooit kom ik hier meer...'

'Wat is er dan, kind?'

'Die foto van pa... hoe kunt u zo gemeen zijn.'

Thea laat haar dochter los, houdt haar hand voor haar mond en buigt haar hoofd. Ze wil nog wat zeggen, maar Regina is al weg.

Regina loopt terug naar school waar haar scooter staat.

Ze haalt haar scooter uit de fietsenstalling en rijdt het hek uit. Er staan tranen in haar ogen.

Als ze thuiskomt en naar haar kamer wil gaan, komt Elly naar haar toe met een vrolijk gezicht en feliciteert haar met haar moeder.

'Je gaat zeker vandaag naar je moeders verjaardag?'

'Hoe weet u dat mijn moeder vandaag jarig is?'

'Ze belde of je vandaag wilde komen en ze nodigde ons ook uit.'

'Ik ben al geweest...'

'Zo kort?'

'Ja… mijn broer stond mij op te wachten bij school. Ik was haar verjaardag vergeten…'

'Dat is niet netjes van je, Regina.'

'Laat maar…' zegt Regina terwijl ze naar haar kamer gaat.

'Wat is er gebeurd, Regina?'

Regina geeft geen antwoord en gaat op haar bed liggen.

Elly is haar gevolgd en gaat naast haar op haar bed zitten en legt haar hand op haar schouder.

'Waarom doe je zo vreemd, Regina… Heb je ruzie gehad met je moeder of je broer?'

Regina schudt haar hoofd en laat haar tranen de vrije loop en snikt: 'Hoe kon ze dat nou doen… ze kan nooit echt van pa gehouden hebben…'

'Kun je nog steeds je vader niet vergeten en ben je nog kwaad op je moeder omdat er een ander in de plaats van je vader is gekomen?'

Regina knikt.

'Toch zul je het moeten aanvaarden, Regina. Het leven is nu eenmaal zo… de doden komen niet meer terug en voor ons gaat het leven gewoon door, ook al kan het pijn doen.'

Dan vertelt Regina over het fotolijstje van haar vader dat op de kast stond en dat in datzelfde lijstje nu die andere man staat.

'Jammer voor je… toch zul je het moeten aanvaarden. Je moeder wil het verleden vergeten en heeft een nieuw leven opgebouwd met deze man en daar past je vader niet meer in.'

'Dus ik ook niet!'

'Jij wel, Regina. Alleen, jij moet je meer verplaatsen in de situatie van je moeder.'

'Dat kan ik niet!'

'Zou het niet komen door het geloof in God?'

'Welke God?' vraagt Regina terwijl ze rechtop gaat zitten.

'Jullie geloven toch in God en gaan toch naar de kerk?'

'Wat heeft dat ermee te maken?'

'Door haar geloof heeft je moeder kunnen aanvaarden dat je vader er niet meer is, en toen stond ze ook open voor een nieuwe relatie.'

'Welnee, als ze echt zou geloven, dan had ze aan de troost van God genoeg en had ze geen andere man nodig. Ze heeft gewoon nooit echt van pa gehouden. Wie kan er zo hard zijn om zelfs de foto's te verwisselen... nee, dat gaat er bij mij niet in.'

'Blijf nog maar even op bed liggen, dan ga ik nog even wat boodschappen doen... of heb je zin om mee te gaan?'

'Nee, liever niet.'

'Jammer dat het zo gelopen is voor jou en je moeder. Jullie hadden weer bij elkaar kunnen zijn.'

'Dat zij gelukkig is met die kerel moet ze zelf weten, maar dan moet ze mij met rust laten. Het is haar leven, oké, maar dan heb ik ook recht op mijn leven en om te leven zoals ik dat zelf wil en zoals ik erover denk. Mijn vader zal en kan ik nooit vergeten. Hij is mijn vader... daar kan nooit een ander voor in de plaats komen...'

'Als je later zelf echt van iemand gaat houden, en misschien is dat Evert, dan ga je alles beter begrijpen.'

'Dat is een ander soort houden van...'

'Daar heb je gelijk in, maar toch kan de liefde van een echtgenoot erg sterk zijn...'

'Maar bij mijn moeder niet,' vult Regina gelijk in.

'Daar kan ik niet over oordelen. Zelf heb ik het gevoel dat het minder erg is als je geliefde sterft dan als hij van een ander gaat houden. Die pijn is nog erger.'

'Dat zegt u omdat uw eigen man van een ander is gaan houden.'

'Toch is het zo. Als mijn man gestorven was, dan zou ik daar verdriet over hebben, maar de pijn van in de steek gelaten te worden is erger en zo zal je moeder ook pijn hebben om jou...'

'Zij pijn om mij?'

'Dat denk ik wel. Ze wil je graag terughebben en doet er haar best voor. Jij was nota bene haar verjaardag vergeten, dat is heel pijnlijk voor een moederhart.'

'Als zij een moederhart had, was ze niet met een andere man getrouwd. Ze heeft mij pijn gedaan en dat weet ze heel goed.'

'Toch zul je er later anders over denken, Regina. Je bent nog jong en hebt veel van je vader gehouden.'

'Ik houd nog van hem. Het kan niet zo zijn dat, als iemand sterft waar je van houdt, dat dan de liefde voor die persoon er niet meer is. Echte liefde kan niet doodgaan.'

'Daar heb je gelijk in, kind... probeer maar wat te rusten,' zegt Elly, die ook niet weet hoe ze Regina kan helpen, die iedere keer overstuur raakt als ze met haar moeder te maken krijgt.

Regina valt in slaap als ze een paracetamol heeft ingenomen voor de hoofdpijn.

Ze wordt wakker gemaakt, als Evert thuiskomt.

'Hé, schone dame... ben je ziek of zo?'

'Wat is er...?'

Evert drukt zijn lippen op de hare.

Ze duwt hem van zich af.

'Wat is dat nou...?'

'Doe niet zo flauw, man!'

'Oké, dan ga ik wel,' zegt Evert, die wel merkt dat Regina steeds meer afstand van hem houdt, niet alleen als ze thuis zijn, maar ook als ze samen uitgaan.

Regina neemt een douche en gaat daarna naar beneden. Ze ziet dat de tafel al gedekt staat.

'Zo, je bent mooi op tijd, we kunnen eten,' zegt Elly vriendelijk terwijl ze opmerkt dat Regina al wat opgeknapt is.

Als ze aan tafel zitten, kijkt Evert Regina aan en vraagt: 'Ga je nog naar de verjaardag van je moeder?'

'Begin jij ook al?'

'Zal ik met je meegaan?'

Regina kijkt Elly aan alsof ze wil zeggen: weet hij dan niet wat er vanmiddag gebeurd is?

'Evert was nog thuis toen je moeder vanmorgen belde en je moeder vroeg of wij ook meekwamen. Hij weet niet dat je vanmiddag al geweest bent,' legt Elly uit.

'O... sorry... was het gezellig?' vraagt Evert dan.

'Man, zeur niet!'

'Dus niet...'

Het is een tijdje stil aan tafel, zonder iets te zeggen gaat Regina na het eten terug naar haar kamer.

Als ze voor de spiegel staat, moet ze denken aan de jongen waar ze vanavond een afspraak mee heeft. Ze ziet hem voor zich en fluistert zachtjes zijn naam: 'Ricky...'

Ze moet een smoes verzinnen om alleen weg te komen. Ze kan zeggen dat ze naar een van haar vriendinnen gaat van school... of, nog beter, dat ze toch maar naar de verjaardag van haar moeder gaat, maar dan wil Evert natuurlijk mee. Ze moet maar gewoon zeggen dat ze liever alleen gaat.

Zo maakt Regina Evert en zijn moeder wijs dat ze zich bedacht heeft en toch naar de verjaardag van haar moeder gaat. Evert biedt haar nog aan om met haar mee te gaan, maar daar wil ze niks van weten.

Zo verdwijnt ze die avond op haar scooter naar de snackbar waar ze heeft afgesproken. Ze ziet de blauwe sportwagen niet staan. Ze gaat alvast met een cola aan een tafeltje zitten.

Na zo'n tien minuten komt Ricky binnen. Hij is toch wel een aparte verschijning met zijn zwarte leren jack en zijn sportieve figuur en die donkere krullen met gel. Hij heeft zijn donkere ogen op haar gericht. Zij heeft zich mooi gemaakt voor hem. Hij bestelt een pilsje en gaat bij haar zitten.

'Je ziet er mooi uit.'

'Dank je...' zegt Regina wat verlegen.

Zijn donkere ogen nemen haar op en fonkelen.

'Fijn dat je toch gekomen bent,' zegt Ricky met een lief lachje terwijl hij haar hand pakt.

Regina krijgt een kleur, waar ze anders nooit zo'n last van heeft.

Als Ricky zijn pilsje op heeft, zegt hij: 'Ga je mee, dan gaan we gezellig naar de stad.'

'Oké,' zegt Regina terwijl ze opstaat en hem volgt.

'Wat heb ik een geluk om met zo'n mooi en lief meisje uit te mogen,' fluistert hij in haar oor.

Ze voelt zich als op een roze wolk met deze jongen met zijn buitenlands accent, die zo heel anders dan andere jongens met haar omgaat. Hij is een echte man vergeleken bij andere jongens en daar wordt ze vanbinnen warm van. Ze voelt zich vreemd, het lijkt een beetje alsof ze drugs heeft genomen.

Als hij haar zomaar tegen zich aandrukt op straat als ze naar zijn auto lopen, voelt dat heerlijk aan.

Ze rijden het dorp uit naar de stad. Als ze de snelweg af-gaan, komen ze bij een groot hotel dat er duur uitziet. Hij stopt op de parkeerplaats van het hotel-restaurant en gaat met haar naar binnen.

Dit is Regina niet gewend. Ze komt uit een gewoon gezin en heeft heel haar leven doorgebracht met haar ouders en broer in een huurflat en is altijd omgegaan met gewone mensen. Haar vader was veel ziek en zat veel in de bijstand. Vakantie was er nooit echt bij en zeker niet uit eten gaan in een echt restaurant.

Ze gaan aan een tafeltje zitten. Ricky kent de manieren. Hij schuift een stoel voor haar bij en gaat dan pas zelf tegenover haar zitten. Ze zitten in een hoekje met kaarslicht. Als de bediende vraagt wat ze willen drinken, kijkt Ricky eerst op de wijnkaart en bestelt een dure wijn. Ze mogen eerst proeven of de wijn naar hun zin is. Ricky knikt en even later staan er twee glazen en een fles wijn.

Regina voelt zich niet zo op haar gemak en zegt dat ook. 'Je moet niet zoveel geld uitgeven. We kunnen toch ook ergens in een gewone tent gaan zitten.'

'Nee meisje, jij bent het waard en om geld hoef jij je niet druk te maken, daar zorgt Ricky voor.'

'Heb je dan wel zoveel geld?'

'Dat kan ik alleen in heel mijn leven niet op krijgen en dus heb ik jou daarbij nodig,' lacht hij vrolijk tegen haar.

'Heb je dan zo'n goede baan?'

'Inderdaad… ik handel in aandelen en die maken mij slapende rijk. Je kunt van mij krijgen wat je maar hebben wilt,' zegt Ricky, terwijl hij zijn hand op de hare legt, haar verliefd aankijkt en fluistert: 'Ik zou je zo graag willen zoenen… mijn liefde voor jou is zo groot dat ik je in mijn armen wil nemen en je nooit meer loslaten. Je bent zo'n mooie vrouw…'

Regina krijgt een kleur en vergeet alles wat er die dag allemaal gebeurd is, want tegenover haar zit een sprookjesprins. Ze drinkt haar glas leeg en dan komt het eten dat Ricky heeft besteld. Het is een beetje vreemd eten voor haar en toch smaakt het haar goed, nu ze een paar glazen wijn op heeft.

'Waar woon je eigenlijk?' vraagt ze dan.

'Overal en nergens.' Gelijk staat hij op en pakt haar hand terwijl hij zegt: 'Kom, dan zal ik je mijn kamer laten zien.'

Ze gaan een deftige trap op en komen in een van de grote hotelkamers.

Ricky pakt haar om haar middel en zoent haar en legt haar op het bed. Ze laat zich door deze sprookjesprins meevoeren en geniet van zijn grote liefde. Ze voelt dat ze van deze jongen echt houdt; dit is de liefde waar ze altijd van heeft gedroomd.

9

Als Evert die avond thuiskomt van zijn vrienden waarmee hij in de bar een paar pilsjes heeft gedronken, is het al tegen elf uur.

'Hoi mam, is Regina nog niet thuis?'

'Nee jongen, ze zal het wel naar haar zin hebben op de verjaardag van haar moeder.'

'Lijkt mij sterk. Ze is er vanmiddag al geweest en had behoorlijk de pest in.'

'Nou ja. Ze had ook wel een beetje gelijk: als je zo van je vader hebt gehouden en dan ziet dat een andere man in hetzelfde lijstje staat waar je vader in heeft gestaan, dan kan dat voor een kind pijn doen.'

'U heeft toch ook alle foto's van pa weggedaan?'

'Dat is heel wat anders en dat weet jij heel goed.'

Evert geeft geen antwoord, maar loopt naar de koelkast en haalt er een pilsje uit.

'Moet dat nou?'

'Wilt u ook wat drinken… een sapje of zo?'

'Nee. Je drinkt de laatste tijd te veel.'

'Dat is goed voor je nieren, ma.'

'Een paar biertjes, nou ja…'

'Zoveel drink ik nou ook weer niet.'

'Je zult de hele avond niet op een droogje hebben gezeten.'

'Als je gezellig bij elkaar zit aan de bar, dan gaat dat vanzelf. Je krijgt een rondje en je geeft een rondje.'

'En als je thuiskomt, moet je nodig jezelf weer een rondje geven.'

'Dat ene biertje maakt toch niks uit. Ik blijf er nuchter bij en weet hoe ver ik kan gaan.'

'Dat zeg je nu wel, maar je begint met een paar biertjes en het worden er steeds meer. Je kunt geen avond meer gezellig thuiszitten zonder een paar flesjes bier te drinken.'

'U bent ouderwets, dat doet toch iedereen en zeker met dit warme weer.'

'Zo praatte je vader ook. Die dronk veel wijn en al die andere troep.'

'Toch heeft pa altijd goed zaken gedaan in de handel.'

'Praat daar niet over,' zegt Elly kort tegen haar zoon.

'Maar pa was toch een goed zakenman?'

'Was hij dat maar niet geweest, dan had ik nu nog een man en jij een vader.'

'Dat heeft daar niks mee te maken.'

'Toch wel, jongen. Als de wijn zit in de man, dan zit het verstand in de kan.'

'Dat is een ouderwets gezegde en die tijd is voorbij. Tegenwoordig drinken wij voor de gezelligheid,' zegt Evert, terwijl hij zijn moeder over haar arm aait en opnieuw naar de koelkast loopt om een flesje bier te pakken.

'Doe dat nou niet, jongen. Je moet nodig naar bed en je moet morgen weer werken in het ziekenhuis.'

'Stage lopen stelt niet veel voor. Gewoon doen wat de dokter voordoet en maar afwachten of je een keer alleen patiënten mag behandelen,' zegt Evert terwijl hij weer gaat zitten.

'Gaat het wel goed met je studie?'

'Soms denk ik weleens... nou ja. Laat ik er maar niet over beginnen.'

'Waar wil je niet over praten?' vraagt Elly, terwijl ze haar zoon aankijkt.

'Nou ja... eigenlijk zou ik best bij pa willen werken en de handel ingaan.'

'Hoe kom je daar zo ineens op?'

'In zo'n ziekenhuis is het vaak een dooie boel en je moet best hard werken en dat gezeur van al die mensen. Je hebt de hele dag met zieke mensen te maken.'

'En dat wilde je juist altijd.'

'Nou ik er middenin zit, hangt het mij weleens de keel uit.'

'Het was een soort roeping, zei je altijd. Je moet er gevoel voor hebben. Heb je dat dan niet?'

'Soms wel en soms niet. Het hangt van de situatie af.'

'Dus je hebt wel gevoel voor mensen die het moeilijk hebben en ernstig ziek zijn?'

'Niet altijd... er zitten zoveel zeurende patiënten tussen die je gewoon niet meer serieus kunt nemen en die je dan maar afscheept met een of ander recept. Ik zie het vaak genoeg gebeuren tijdens het spreekuur bij mensen bij wie niets bijzonders is ontdekt. Dan zie ik aan de gezichten van de artsen dat ze veel mensen met een dooddoener afschepen.'

'Dat is dan erg genoeg. Probeer jij dan een arts te worden die elke patiënt serieus neemt.'

'Dan kom je tijd te kort en zeker als er spoedgevallen tussendoor komen.'

'Je bent arts of je bent het niet,' zegt Elly, die merkt dat haar zoon de laatste tijd veranderd is.

'Daarom ga ik twijfelen of ik wel door zal gaan met deze studie.'

'Maar jongen, het is gewoon zonde, je hebt al een hele studie achter de rug. Nu loop je stage en doe je veel praktijkervaring op en dan wil je het bijltje erbij neergooien. Wat is er met jou aan de hand?'

'Niks ma...'

'Waarom drink je de laatste tijd dan zoveel?'

'Dat valt heus wel mee.'

'Een aankomend arts kan beter helemaal niet drinken en ook niet roken. Je hoort een voorbeeld te zijn voor anderen.'

'Ach, klets niet,' valt Evert uit.

'Gebruik niet zulke taal tegen mij, wil je…'

'Het is toch zeker zo…'

'Wat is er zeker zo?'

'Nou, al dat gedoe… soms heb ik er helemaal geen zin meer in…'

'Dus je laat je hele studie vallen en je wilt bij je vader gaan werken?'

'Eigenlijk wel, ja…'

'Ben je daar wel zeker van?'

'Het lijkt mij gewoon beter. Wat ga ik trouwens verdienen als ik arts ben?'

'Daar moet je het niet voor doen.'

'Laat mij niet lachen, iedereen wil toch goed geld verdienen en het liefst zo veel mogelijk. Wij, kleine artsen, die alleen maar knechtje zijn van de grote artsen en professoren, moeten het geld verdienen voor die lui en zo veel mogelijk uren maken en vaak nachtdiensten draaien.'

'Hoe komt het dat je zo over je werk praat?'

'De laatste tijd loop ik stage bij een arts die behoorlijk de pest in heeft over het werk dat hij moet doen, wat eigenlijk een volledig afgestudeerde arts zou moeten doen. Hij werkt al een jaar in het ziekenhuis, werkt elke dag veel patiënten af en draait vaak nachtdiensten. Die man werkt niet meer met plezier, dat laat hij vaak genoeg merken.'

'Dat komt volgens mij omdat er een tekort is aan artsen en dan raken veel artsen gestresst, lijkt mij.'

'Dat zou best kunnen, maar het valt mij erg tegen, als ik eerlijk ben.'

'Zie je dan niet in dat je dan juist erg nodig bent in de toekomst? Als ze er allemaal zo over gaan denken, komen er nog meer bedden leeg te staan in de ziekenhuizen, omdat er een tekort aan artsen en verpleegkundigen ontstaat.'

'Als ze maar eens meer betaalden, dan zag de gezondheidszorg er heel anders uit.'

'Een echte arts of verpleegkundige werkt niet alleen voor het geld en ik dacht dat ze niks te klagen hadden, als ik zie in wat voor huizen sommige artsen wonen en in wat voor auto's ze rijden. Vroeger stonden de artsen dag en nacht voor je klaar, hoorde je ze nooit klagen en deden ze er zelfs bevallingen bij,' zegt Elly.

'Ach, dat was een heel andere tijd,' antwoordt Evert, terwijl hij een slok bier uit zijn flesje neemt.

'Zal ik jou eens wat zeggen: vroeger hadden de artsen en verpleegkundigen in ziekenhuizen en huisartsen veel meer tijd voor iedereen. Weet je hoe dat komt? Het ging hen om de mensen en niet om het geld of om vrije dagen en wel of niet nachtdiensten. Toen kon je een arts midden in de nacht bellen en je kon ook midden in de nacht naar een ziekenhuis. Onze buurman heeft vaak last van zijn darmen. Op een nacht kon hij zijn ontlasting en urine niet meer kwijt. Het zweet stond dik op zijn voorhoofd van de pijn. Na veel bellen zelfs naar 1-1-2, mocht hij naar het ziekenhuis. Hij werd met veel moeite geholpen en werd dezelfde nacht weer naar huis gestuurd, totdat hij de andere dag weer een vreselijke aanval kreeg en hoge koorts had en opnieuw naar het ziekenhuis werd gebracht met een ambulance en met spoed werd geopereerd. Na zeven dagen was hij alweer thuis. Diezelfde nacht kreeg hij een bloeding van de wond. Er kwam een arts kijken. Die deed er na veel aandringen nieuw verband op en zei: "Laat morgen je huisarts er maar naar kijken." Die was die morgen wel verstandig en stuurde hem met een ambulance naar het ziekenhuis. Er werd naar de wond gekeken en die werd schoongemaakt en hij werd dezelfde dag weer naar huis gestuurd. Hij moest over een paar dagen maar op het spreekuur van de arts komen. Toen hij zich na een paar dagen meldde en de arts naar de wond keek, kwam er allemaal vuil uit de wond. De wond was ontstoken. De arts maakte het opnieuw schoon en hij mocht weer naar huis. Hij moest vier maal per dag de wond spoelen en de wond verbinden. De rest weet jij zelf wel van de buurman,' zegt Elly ernstig.

'Hij had gewoon pech met de arts die toen dienst had,' antwoordt Evert koel.

'Zo zit nu de hele maatschappij in elkaar, jongen. Het begint al bij het onderwijs, waar we het in de toekomst toch allemaal van moeten hebben in de maatschappij. Er is te weinig personeel. Ze studeren er allemaal wel voor, net zoals jij, maar dan zien ze dat ze veel meer geld kunnen verdienen met een andere baan. Alles draait om het geld. Onze maatschappij gaat er kapot aan. Kijk maar naar je eigen vader. Van huis uit schatrijk. Veel grond en huizen. We hadden alles wat ons hartje begeert. Het kon niet op. Je vader kon die welvaart niet aan, toen mijn vader ermee stopte en hij de leiding kreeg over het bedrijf. Nu denkt hij gelukkig te zijn bij die andere vrouw…' zegt Elly wat emotioneel.

'Misschien heeft u wel gelijk. Maar we leven nu eenmaal in deze tijd. Er zijn veel meer mensen die hulp nodig hebben. De artsen krijgen veel meer met overspannen mensen en mensen met problemen te maken en moeten zelf alles te gejaagd doen. De artsen van vroeger en de zogenaamde schoolmeester bestaan niet meer. Neem nu alleen de computer en zo maar eens. Er is zoveel apparatuur in een ziekenhuis waar artsen mee om moeten gaan en niet te vergeten de verpleegkundigen. Toch moet ik eerlijk zeggen dat er ook echt wel artsen en verpleegkundigen bij waren die echt de tijd voor een patiënt namen en een luisterend oor hadden. Het moet gewoon een roeping zijn en niet een beroep... daar zit vaak het probleem, denk ik.'

'Wat is het bij jou?'

'Dat is het nou juist...'

'Je weet het zelf niet goed?'

'Nee... eerlijk gezegd niet. Het lijkt mij vaak te zwaar en dan voel ik mij moe en dan verlang ik echt op zijn tijd naar een pilsje of wat anders...'

'Wat is dat andere?' vraagt Elly, haar zoon ernstig aankijkend.

'De laatste tijd gebruik ik nogal veel pillen... niet wat u denkt. Het zijn gewoon rustgevende pillen.'

'Waar haal je die vandaan?'

'Die krijg ik van een arts die ze zelf ook gebruikt.'

'Dat is dieptreurig, jongen. Vooral als je werk hebt dat heel verantwoordelijk is. Je rookt trouwens de laatste tijd ook erg veel.'

'Wat maakt het allemaal uit?' antwoordt Evert wat vermoeid.

'Heb je een probleem waar je niet over wilt praten?'

'Ach, laat maar...' antwoordt Evert terwijl hij met zijn hand over zijn gezicht gaat.

'Heeft het met Regina te maken?' Ze merkt dat ze een gevoelige snaar raakt als haar zoon haar fel aankijkt en zegt: 'Wat heeft zij ermee te maken, bemoeit u zich er niet mee.'

'Dus toch wel...'

Evert kijkt op de klok en laat een zucht ontsnappen.

'Als ik jou was, dan zou ik maar naar bed gaan.'

'Het is al twaalf uur. Ze heeft het aardig naar haar zin bij haar moeder en die familie van haar. Misschien komt ze helemaal niet meer terug en blijft ze bij haar moeder,' zegt Evert wat verdrietig.

'Zou je dat erg vinden? Het is immers haar thuis.'

'Wij zijn goed voor haar geweest. Ze kan toch gewoon bellen als ze niet meer terugkomt,' antwoordt Evert, terwijl hij opnieuw op de klok kijkt.

'Daar heb je gelijk in en daarom denk ik dat ze gewoon zo weer naar ons komt en dat het gewoon wat laat is geworden.'

'Je weet maar nooit wat er gebeurd is. Misschien heeft ze weer eens ruzie met haar moeder gehad.'

'Dan was ze allang hier geweest.'

'Dat zou kunnen...'

'Je kunt gerust naar bed gaan, Evert...'

'Moeten we niet bellen en vragen of alles goed is met haar?'

'Ze zal zo wel komen, als het erg laat wordt, dan bel ik wel,' antwoordt Elly.

Evert gaat naar zijn kamer en gaat op zijn bed liggen. Hij heeft de hele avond al een onrustig gevoel. Zou het toch met Regina te maken hebben? Zal ze niet meer terugkomen en voorgoed bij haar moeder blijven en dan ook afstand van hem doen...? Nee, dat pik ik niet... piekert Evert die weet dat hij niet zonder Regina kan en dat zijn liefde voor haar te sterk is.

Tegen half twee slaapt Evert nog niet. Hij ligt nog steeds met zijn kleren aan op bed. Hij kan het niet langer uithouden en gaat naar beneden. Hij vindt zijn moeder slapende in haar stoel.

Voorzichtig pakt hij haar bij de arm en fluistert: 'Ma... ma...?'

Ze opent haar ogen en kijkt hem vragend aan.

'Ze is er nog niet... het is al half twee geweest.'

'O... dat is wel een beetje laat. Ik denk dat ze toch bij haar moeder blijft slapen.'

'Dan had ze toch gebeld... anders is het helemaal een ondankbaar schepsel,' antwoordt Evert kwaad.

'Bel jij?'

'Nee... doet u het maar.'

Elly zoekt het telefoonnummer in het telefoonboek.

'Vernoot... ja, deze straat moet het zijn, hier is het nummer.' Elly toetst het nummer in. Het duurt een tijdje voor ze opnemen. Tot ze een bromstem horen: 'Met Birk...'

'O... dan ben ik zeker verkeerd verbonden...'

'Nee mam... die tweede man heet Arie Birk...' fluistert Evert snel.

'O... dan heb ik toch het goede nummer... het nummer staat nog op de naam Vernoot... neemt u mij niet kwalijk...' zegt Elly vriendelijk.

'Wat moet u van ons midden in de nacht?'

'Slaapt Regina vannacht bij jullie?'

'Regina... die is hier niet, die...'

Dan komt er een vrouw aan de telefoon.

'U spreekt met de moeder van Regina... wat is er met Regina?'

'Dat wilde ik u vragen. Ze is nog niet thuis... We dachten dat ze misschien bij u zou slapen vannacht. Ze is toch bij u op de verjaardag geweest?'

'Dat was vanmiddag en toen is ze kwaad weggegaan...'

'Maar ze is vanavond toch ook geweest?'

'Regina?'

'Ja...'

'Nee hoor... we hebben haar niet gezien.'

'Dat is vreemd... ze ging naar u toe...'

'Dan zal ze wel met die zoon van u in een of andere bar rondhangen.'

'Mijn zoon... die is hier thuis.'

'O... neemt u mij niet kwalijk... ik kan van Regina geen hoogte meer krijgen. Ze doet net of wij voor haar niet meer bestaan.'

'Bent u dan niet ongerust zo midden in de nacht?'

'Dat ben ik al zo lang. De laatste tijd hangt ze veel in bars en disco's rond en die sluiten meestal midden in de nacht, daar weet u zelf ook wel genoeg van als ze laat met uw zoon thuiskomt.'

'Dat is in ieder geval vanavond niet het geval. Mijn zoon is vanavond alleen weggeweest en was om elf uur thuis. Regina vertelde ons dat ze vanavond naar uw verjaardag ging,' legt Elly nog een keer uit.

'Dan heeft ze u voorgelogen. Ze is hier vanavond niet geweest. Ze zal wel met een vriend mee naar huis gegaan zijn, dat heeft ze immers met uw zoon ook gedaan,' antwoordt Thea.

'Het is uw dochter en wij proberen goed voor haar te zijn... maar we zijn ongerust,' zegt Elly eerlijk.

'Ze zal vandaag of morgen wel weer opduiken. Wij zijn er al een beetje aan gewend sinds ze bij jullie is en jullie haar helemaal ingepalmd hebben,' zegt Thea wat fel, waarna ze de verbinding verbreekt.

Evert kijkt zijn moeder aan en zegt: 'Ik was er al bang voor. Haar moeder kon weleens gelijk hebben, dat ze misschien met een ander is meegegaan. Ze deed de laatste tijd zo vreemd en afstandelijk... laten we maar naar bed gaan en afwachten tot morgen...'

10

's Morgens, als Regina wakker wordt in de hotelkamer, lijkt het alsof ze uit een droom ontwaakt. Ze merkt dat Ricky niet meer naast haar ligt. Ze staat op, neemt een douche en kleedt zich aan.

Als ze beneden komt, ziet ze Ricky aan hetzelfde tafeltje als gisteravond aan het ontbijt zitten. Hij staat op, geeft haar een zoen en vraagt: 'Goed geslapen, meisje?'

'Waarom heb je mij niet gewekt?'

'Je sliep als een roos en een roos gaat vanzelf open als de zon schijnt, die mag je niet zelf openen en de dag is nog lang,' zegt hij romantisch.

'Maar ik moet naar school.'

'Eerst ontbijten en dan breng ik je weg, oké?'

Regina knikt en eet snel een paar sneetjes brood.

Ricky brengt haar naar school en doet erg aardig tegen haar. Zachtjes vraagt hij: 'Regina, je houdt toch wel van mij?'

Regina kijkt hem aan als hij dicht bij de school stopt en voelt zich warm worden als hij haar aankijkt met zijn donkere ogen en haar hand vasthoudt.

'Ja Ricky, ik houd van je...' antwoordt Regina verlegen.

'Vanmiddag tegen vier uur kom ik je ophalen, dan is je laatste les toch voorbij?'

'Ja...'

'Dus je vindt het goed, dat ik je hier kom ophalen?'

'Dat is oké,' antwoordt Regina, terwijl ze snel de auto uitstapt en haar rugtas pakt en naar de school rent.

Er zijn meisjes die haar gezien hebben met de jongen met de sportwagen en vragen of dat haar vriend is.

'Oké… hoe vinden jullie hem?'

'Knappe vent en die sportwagen is ook niet gek.'

'Hij is erg rijk en geeft veel om mij,' zegt Regina wat trots.

'Jij hebt het goed voor elkaar met zo'n vent.'

'Hij komt mij vanmiddag weer halen.'

'Weet die andere vriend er al van?' vraagt een ander meisje.

'Bedoel je Evert?'

'Ja… hij stond hier vanmorgen bij het hek van de school,' weet een van de meisjes te vertellen.

'Moet hij weten,' antwoordt Regina wat hoogmoedig.

De lessen beginnen en Regina gaat naar haar klas.

Evert heeft die nacht erg slecht geslapen en voor hij naar zijn werk in het ziekenhuis gaat, rijdt hij langs de school. Hij ziet de meisjes waar Regina mee omgaat, maar geen Regina. Hij rijdt dan snel naar het ziekenhuis. Hij moet op tijd zijn om mee te lopen. Hij heeft de hele dag zijn hoofd er niet echt bij. Hij kent de schooltijden van Regina uit zijn hoofd en zorgt dat hij voor vier uur bij de school staat. Hij blijft op een afstand in zijn auto zitten. Dan komt Regina naar buiten. Hij ziet haar met een paar meisjes lopen. Hij wacht tot ze naar de fietsenstalling loopt, maar dat doet ze niet deze keer. Ze loopt naar de hoofduitgang en zwaait naar een jongen die tegen een sportwagen staat geleund.

Evert gaat snel uit zijn auto, rent haar achterna en roept naar haar. Regina kijkt achterom.

'Wat moet jij van mij?' vraagt ze uit de hoogte.

'Maar Regina, waarom doe je zo tegen mij? Wat is er?'

'Laat mij met rust, oké?'

'Nee Regina… je gaat mee…!' Hij pakt haar bij de arm en wil haar meetrekken.

Dan voelt hij een stevige greep om zijn arm.

'Blijf met je handen van haar af, man!' zegt een zware stem met een accent en als Evert de jongen aankijkt, ziet hij een paar donkere felle ogen.

'Wat heb jij met Regina te maken?' vraagt Evert, terwijl hij haar loslaat.

'Vraag het haar, oké?' zegt Ricky terwijl hij Regina vriendelijk aankijkt.

'Man, ga naar je moeder en laat ons met rust!' zegt Regina fel, terwijl ze naar Ricky loopt en samen met hem naar zijn auto loopt.

Evert kijkt haar verslagen na en krijgt tranen in zijn ogen in plaats van dat hij kwaad wordt.

Hij ziet ze wegrijden. Een paar meisjes, die alles gezien hebben, staan te giechelen om hem.

Hij loopt naar zijn auto alsof hij te veel heeft gedronken. Als hij in zijn auto zit, laat hij zijn hoofd zakken op het stuur en zegt zachtjes in zichzelf: 'Dus toch... ze heeft een ander en heeft mij niet meer nodig... hoe kon ik zo stom zijn? Ik wist toch dat ze niet echt van mij hield... ik was alleen die aardige vriend voor haar waar ze mee uitging en die zorgde dat ze onderdak had bij zijn moeder die zo goed voor haar zorgde... Ze was immers verdrietig omdat haar moeder hertrouwde en zij zoveel van haar vader hield... dit is dan haar dank...'

Hij start de motor en rijdt langzaam weg, nagekeken door een paar meisjes die tegen elkaar zeggen: 'Eigenlijk best zielig voor die jongen... Regina is gemeen dat ze hem zomaar aan de kant zet.'

'Toch wel gaaf, zo'n vent met een sportwagen, en hij is ook wel erg knap,' zegt een ander meisje.

'Nee... ze is gemeen,' zegt het andere meisje weer.

'Als ik de kans kreeg met zo'n kanjer van een vent met zo'n

wagen, dan ging ik ook met hem mee,' zegt een ander.

'Je moet niet zomaar met zo'n vent meegaan... je weet maar nooit,' houdt het ene meisje vol.

'Ach, jij bent zo preuts. Jij weet helemaal niet wat er te koop is. Regina heeft groot gelijk... gewoon te gek, joh. Hij is erg knap en heeft veel geld, laat Regina maar lopen, die redt zich wel.'

Evert hangt zijn jack in de hal en gaat zwijgend de kamer binnen. Zijn moeder ziet al aan zijn gezicht hoe laat het is.

'Heb je Regina ontmoet?'

Evert haalt zijn schouders op, pakt een krant en gaat op de bank zitten. Hij verschuilt zich achter de krant.

'Evert, je kunt toch wel antwoord geven?'

Evert gooit de krant terug op het tafeltje, kijkt zijn moeder fel aan en schreeuwt: 'Ze heeft een ander. Ze geeft niks om ons, dat ondankbare schepsel!'

'Rustig jongen,' zegt Elly, die merkt dat haar zoon overstuur is. 'Heb je haar gesproken, Evert?'

'Ze ging ervandoor met een vent in een dure sportwagen. Ik was lucht voor haar en die vent...' verder komt Evert niet. Hij houdt zijn hand voor zijn gezicht.

Elly gaat naast haar zoon zitten, legt voorzichtig haar hand op zijn schouder en zegt: 'Is ze het eigenlijk wel waard?'

Evert schudt zijn hoofd.

'Je moet haar uit je hoofd zetten. Zij houdt gewoon niet van je, Evert.'

Evert haalt zijn hand van zijn gezicht weg en kijkt zijn moeder aan.

'Waarom een ander...?'

'Die vraag heb ik mijzelf zo vaak gesteld, jongen... Je weet hoe je vader mij heeft behandeld, ik weet wat je voelt. Het is beter dat ze je nu afwijst dan later, als je getrouwd bent, dan komt de klap nog harder aan. Liefde is een groot goed, maar o zo teer en pijnlijk als ze afgewezen wordt... echt jongen, je moet het aanvaarden. Ze is geen meisje voor jou...'

Zonder antwoord te geven gaat Evert naar zijn kamer.

Ze rijden met de snelle sportwagen over de snelweg naar de stad.

'Gaan we weer terug naar het hotel?' vraagt Regina.

'Nee, lieverd,' antwoordt Ricky terwijl hij haar lief aankijkt en haar hand vasthoudt.

'Waar gaan we dan heen?'

'Naar mijn flat, als je het goedvindt?'

'Oké...'

'Je was echt goed, zeg.'

'Hoezo?'

'Zoals je die vent afpoeierde,' lacht Ricky.

'Hij betekent niks voor mij... hij is gek op mij, maar daar heb ik geen zin meer in.'

'Wie is er nou niet gek van zo'n lief en knap meisje als jij, Regina,' zegt Ricky, terwijl hij haar over haar knie streelt.

Ze geeft hem een zoen en voelt zich gelukkig. Ze roept met haar handen in de lucht: 'Leve de vrijheid.'

'Was je echt zo gebonden aan die vent?'

'Eigenlijk wel en ook aan die moeder van hem... het was er een duf gedoe.'

'Waarom woonde je bij hem?'

'Thuis kon ik het niet meer uithouden. Mijn moeder ging hertrouwen en dat pik ik niet.'

'Hield je veel van je vader?'

'Ja... wat heb jij alles snel door, zeg, en je voelt mij zo goed aan. Je bent zo echt... jij bent het gewoon,' zegt Regina, die helemaal in de ban van deze jongen is.

Ze stoppen voor de flat van Ricky. Hij helpt haar uit zijn auto. Hij is wat dat betreft erg galant. Ze lopen samen naar binnen.

'Wat een gezellige kamer, zeg. Jij moet wel veel geld verdienen,' zegt Regina, als ze de inrichting bewondert.

'Ga jij maar lekker zitten, dan drinken we eerst een glas wijn,' zegt Ricky, terwijl hij naar de bar loopt in de hoek van de grote kamer en een van de flessen wijn opent.

Hij loopt met twee grote glazen wijn naar de bank en gaat naast haar zitten. Ze nemen alle twee een paar slokken.

'Wat doe je eigenlijk voor werk, Ricky?'

'Ik zit in de handel en pik overal wat mee.'

'Dat is niet mis, als ik alles zo bekijk.'

Ricky lacht en zet zijn glas op het tafeltje voor hen. Hij pakt haar glas en zet het ernaast. Hij neemt haar in zijn armen en zoent haar.

'Wat ben je lief en mooi... je bent gewoon te mooi voor mij...' fluistert hij terwijl hij haar optilt en haar naar zijn slaapkamer draagt. Hij legt haar op zijn tweepersoonsbed. Het is een hemelbed.

Regina kijkt hier ook verbaasd om zich heen. Ricky gaat languit op het bed liggen en heeft een muziekje opgezet.

Regina fluistert: 'Het lijkt allemaal wel een sprookje.'

'Mag ik dan jouw prins zijn, lieverd?'

Hij buigt zich over haar heen en ze gaan samen op in hun liefdesspel, dat haar van de wereld weghaalt. Ze geniet van de liefde die ze nooit zo beleefd heeft. Ten slotte staat Ricky op en zegt: 'We moeten nodig wat eten, meisje.'

'Met jou heb ik geen honger meer... ik voel mij zo gelukkig en geborgen bij jou, het is net of ik altijd bij jou ben geweest en op een andere planeet woon.'

Hij zoent haar nog een paar keer en gaat de slaapkamer uit. Ze blijft heerlijk liggen. Ze kan haar geluk niet op, als hij haar even later roept en zegt: 'Zullen we wat eten, meisje?'

'Kom je nog even bij mij liggen?' vraagt zij en opnieuw ervaart zij zijn kussen als die van een sprookjesprins.

Dan staat ze op en gaat zich eerst douchen. Ze kijkt verrast als er prachtige kleren voor haar klaarhangen in de badkamer.

'Hoe kom je daaraan?'

'Van mijn zus. Ze zijn zo goed als nieuw.'

'Woont je zus dan ook hier?'

'Nee… ze is weer naar het buitenland en komt voorlopig niet terug. Trek het maar gerust aan. Het zal je goed staan.'

Als Regina de dure kleren aantrekt en ook de sieraden erbij krijgt, bekijkt ze zichzelf in de spiegel. Ze kent de Regina van vroeger niet meer terug. Daar staat geen meisje van zeventien meer, maar een jongedame met korte rok en zeer aantrekkelijke kleding. Ricky wijst haar op de make-upspullen die ze mag gebruiken.

Als ze zich heeft opgemaakt, kijkt ze opnieuw in de grote staande spiegel in de slaapkamer.

'Wat ben je mooi, zeg.'

Ricky zoent haar en zegt: 'Nu zorg ik voor jou, mijn lieve meisje. Het zal je aan niets ontbreken. Ik wil dat je gelukkig bent. Wij samen gaan genieten van het leven. Zonder jou kan ik niet echt gelukkig zijn.'

Regina hangt om zijn hals en zoent hem steeds opnieuw. Ze zegt dat ze erg gelukkig is, omdat hij zo lief voor haar is.

Dan is er toch ineens een soort angst in haar, als ze in zijn ogen kijkt die bijna zwart zijn.

'Ricky… Ricky, je houdt toch wel echt van mij…?'

'Moet jij dat nog vragen? Zolang jij van mij blijft houden, is Ricky helemaal van jou en jij bent mijn lieve knappe meisje… nooit zal ik jou meer loslaten. Jij bent mijn eigendom… zul je dat nooit vergeten?' zegt hij ernstig en op 'eigendom' legt hij de nadruk.

'Ja lieverd, ik ben helemaal van jou. Jij mag mij helemaal bezitten… als je maar van mij blijft houden. Beloof je dat, Ricky?'

'Zeker weten, schat.'

'Kom het wordt tijd dat we wat eten,' zegt Ricky opnieuw.

'Kun je dan koken?'

'Ricky en koken. Grapjas.'

'Zullen we samen wat koken?'

'Nee joh, we gaan naar de Chinees, of lust je geen Chinees?'

'Nee, ik heb echt geen zin in een Chinees, dan eet ik nog liever jou op,' plaagt Regina.

'Dat meen je niet, want dan heb je geen Ricky meer.'

'Soms ben ik zo gek van je, dat ik je wel kan opeten…'

'Dat wordt dan gevaarlijk,' lacht Ricky.

'Gaan we echt bij de Chinees eten, of ga je wat halen?'

'Je mag zelf kiezen.'

'Dan wil ik wel graag naar de Chinees…'

Ze rijden naar een Chinees restaurant in de stad. Ze worden netjes ontvangen en het blijkt dat de eigenaar Ricky goed kent, want hij vraagt: 'Zelfde tafel, meneer?'

'Graag, Tiang.'

Als ze aan tafel zitten en een glas wijn vooraf drinken vraagt Regina: 'Heet hij Wang of Tang?'

'Kijk maar uit, als hij jou in zijn tang neemt, dan blijft er niet veel meer van je over. Hij heet Tiang.'

'Je zit vol met grapjes.'

'En jij niet minder, kleine deugniet,' lacht Ricky vrolijk. Onder het eten begint Ricky ineens over het naar school gaan van Regina.

'Ga je graag naar die school?'

'Nee, hoezo?'

'Waarom zou je er dan nog heengaan?'

'Ben je bang dat Evert of mijn moeder naar school komt?'

'Dat ook wel, maar wat heb je aan die school als je geld genoeg hebt en ik jou aan werk help?'

'Wat voor werk?'

'Je weet dat ik erg veel geld verdien met handel en aandelen, jij kunt mij daar goed bij helpen.'

'Wat moet ik dan de hele dag doen?'

'Voorlopig niks. We gaan eerst genieten van het goede leven, oké?'

'Maar moet jij dan niet werken?'

'We nemen gewoon een paar weken vakantie en ik laat jou genieten van het leven.'

'Kun je dat wel allemaal betalen?'

'Over geld moet je nooit meer praten. Als jij maar bij mij blijft en goed naar me luistert, dan is er geld genoeg en zijn wij samen de gelukkigste mensen van de hele wereld.'

'Maar hoe moet dat dan allemaal?'

Ricky pakt haar hand en zegt: 'Maak je nou niet druk over dingen die niet aan de orde zijn. Je leeft veel te krampachtig. Laat nou alles maar over aan mij en je zult gelukkig worden.'

'Waar gaan we dan heen?'

'Dat is een verrassing.'

Als ze weggaan, helpt een van de personeelsleden hen in de jassen.

'Netjes dat ze je helpen met je jas en zo,' zegt Regina, die dat niet zo gewend is.

'Ze kleden je eerst uit en dan helpen ze je aankleden,' lacht Ricky.

'Heeft het dan zoveel gekost?'

'Maakt niks uit, geld genoeg.'

Het valt Regina op dat hij weer zegt: 'Geld genoeg.'

Ze rijden door de stad en gaan dan de snelweg op.

Ze parkeren bij Schiphol en pas dan dringt tot Regina door dat ze echt op vakantie gaan. Verbaasd vraagt ze: 'Gaan we echt nu vliegen?'

'Wat dacht je dan?'

'Maar ik heb niks bij mij!'

'Daar heb ik al voor gezorgd, daar moet je nog aan wennen, meisje.'

'Waar gaan we dan heen?'

'Naar Spanje schat.'

'Echt waar?'

'Zeker weten.'

Als ze op het vliegveld van Madrid landen, gaan ze met een taxi naar hun hotel. Op het balkon laat hij haar het prachtige uitzicht zien. Ze knijpt zichzelf in haar armen en zegt: 'Droom ik nu… of maak ik dit echt allemaal zelf mee…'

'Ja lieverd, je beleeft het allemaal echt en dat komt omdat jij ook zo echt bent en dat is voor mij erg belangrijk.'

'Meen je dat?'

'Het komt uit het diepst van mijn hart,' antwoordt Ricky, terwijl hij haar in zijn armen neemt en ze samen genieten van de ondergaande zon die hier zijn dagtaak er weer op heeft zitten.

11

Het gaat niet goed met Evert. De volgende dag gaat hij al vroeg naar huis. Hij voelt zich niet goed genoeg om zijn werk in het ziekenhuis naar behoren te doen en meldt zich ziek.

'Wat ben jij vroeg thuis?'

Evert antwoordt niet.

'Ben je ziek of zo?'

Hij kijkt zijn moeder aan en steekt wanhopig zijn handen omhoog en zegt: 'Ma, ik zie het niet meer zitten...'

'Ga jij eens rustig op de bank zitten, dan krijg je eerst een kop koffie. Je bent oververmoeid. Je ziet er niet uit...'

Evert gaat met gebogen hoofd op de bank zitten en voelt zich wat verlegen met zichzelf.

'Zo... drink eerst eens een lekker kopje koffie, daar zul je van opknappen,' zegt Elly vol liefde tegen haar zoon.

'Mam, wat moet ik met een kop koffie...?'

'Lekker opdrinken, en dan praten we samen.'

'U weet toch dat ik... nou ja...'

'Je mist Regina omdat ze van een ander houdt, dat is het toch?'

Evert knikt en drinkt zijn koffie. Werkelijk, hij knapt ervan op.

'Mam, wat moet ze nou ineens met zo'n vreemde vent?'

'Dat moet je haar zelf vragen.'

'Ze wil niet meer met mij praten, dus krijg ik niet de kans om het uit te praten.'

'Ze is gewoon niet voor rede vatbaar.'

Evert staat op en trekt zijn jas aan.

'Waar ga je naartoe?'

'Naar haar school.'

'Maar je kunt maar zo niet de school in. Ze heeft vast nog les. Het is nog vroeg.'

'Ik vraag haar gewoon te spreken. As ik wacht tot de school uitgaat, staat die vent op haar te wachten en krijg ik de kans niet.'

'Evert, kun je niet beter wachten tot ze uit zichzelf weer terugkomt? Of ga eens met haar moeder praten. Misschien weten die meer over haar.'

'Ze wil immers niks met haar moeder te maken hebben. Ze komt niet meer thuis.'

'Weten haar ouders dat ze niet meer bij ons woont?'

'Dat weet ik niet,' antwoordt Evert, terwijl hij naar buiten loopt en in zijn auto stapt.

Hij zet zijn auto een straat verder dan de school en loopt naar de ingang en vraagt aan de conciërge of hij Regina Vernoot mag spreken.

'Is het belangrijk?'

'Dat gaat u niet aan,' antwoordt Evert kort.

'Dat gaat zomaar niet. U kunt wachten tot de lessen voorbij zijn of er moet wat ernstigs zijn!'

'Ik moet haar spreken, anders zoek ik haar zelf wel op!' dreigt Evert.

'Oké... oké, ik zoek haar wel voor u op en vraag wel of ze even kan komen.'

Even later komt de conciërge terug en zegt: 'Helaas... ze is vandaag niet op school geweest.'

'Heeft zij zich ziek gemeld of een andere reden opgegeven?

'Nee... ze is gewoon niet komen opdagen.'

'Vreemd...'

'Dat gebeurt weleens vaker. Maakt u zich niet druk. Bent u familie of zo?'

'Nee…'

'Ze ging de laatste tijd met een vent met zo'n blauwe sportwagen en ze kleedde zich de laatste tijd nogal opvallend. Ze is volgens mij smoorverliefd op die vent,' zegt de concierge met een wat vals lachje op zijn gezicht.

Evert doet net of hij het niet hoort en verlaat de school. De buitendeur slaat achter hem dicht.

Terug in zijn auto peinst hij waar hij haar moet zoeken. Als hij nu eens naar haar moeder ging… misschien weet die meer.

Evert start de motor van zijn auto en rijdt naar de flat waar Regina's moeder woont. Hij ziet er wel tegenop. Hij heeft zich nooit bemoeid met haar moeder, die toch ook wat recht had op medeleven van zijn kant. Nu Regina weg is, begrijpt hij enigszins wat haar moeder moet voelen en voelt zich een beetje schuldig dat hij nooit echt geprobeerd heeft het contact tussen Regina en haar moeder te herstellen.

Hij belt aan en er wordt opengedaan door een vrouw die hem vragend aankijkt.

'Mag ik even binnenkomen?'

'Volgens mij ben jij Evert?'

'Ja…'

'Is Regina er niet?'

'Nee…'

'Kom maar even binnen…' Evert loopt achter de vrouw aan naar binnen.

'Ga maar zitten, dan zet ik koffie.' Evert knikt en gaat op een van de stoelen zitten.

Even later komt Thea terug uit de keuken met twee bekers koffie en gaat tegenover hem zitten.

'Ze is zeker nog op school?'

'Nee…'

'Is ze ziek of heeft ze een vrije dag?'

Opnieuw antwoordt Evert, nee. Hij durft de vrouw niet aan te kijken.

'Er is toch niets met haar gebeurd?' vraagt Thea, ongerust nu Evert zo onverwachts bij haar binnen komt stappen.

'Niet dat ik weet.'

'Ze woont toch bij jullie?'

'Niet meer…'

'Waar woont ze dan?'

Evert haalt zijn schouder op.

'Je weet toch wel waar ze nu is… er is toch niets met haar gebeurd?' vraagt Thea, die merkt dat Evert het moeilijk heeft en nerveus is.

'Na die avond toen u jarig was en wij u belden, is ze niet meer bij ons geweest,' zegt Evert dan.

'Ze is ook niet meer hier geweest sinds ze ruzie maakte over een foto,' zegt Thea terwijl ze naar de foto in het lijstje op de kast wijst.

'Is dat uw man?' vraagt Evert terwijl hij naar de foto kijkt.

'Ja…'

'Dus dat is haar vader?'

'Nee…'

'O… u bedoelt, uw tweede man?'

'Heeft ze het je niet verteld?'

'Ja… nu herinner ik mij weer dat ze iets zei over een foto-lijstje waar eerst haar vader in heeft gestaan als ik het goed heb.'

'Inderdaad.'

'Waarom heeft u die foto's eigenlijk verwisseld?'

'Ik wilde het verleden vergeten. Mijn man is erg goed voor

mij, maar hij is ook erg jaloers als ik over mijn eerste man begin en hij kon het niet verdragen dat hij in een lijstje op de kast stond. Toen heb ik er zijn foto ingezet en er nooit aan gedacht dat Regina er niet tegen kon en dat het haar zo zou kwetsen. Ze kwam toch niet meer thuis en ik had ook niet verwacht dat ze op mijn verjaardag zou komen. Mijn zoon Dennie heeft haar toen van school gehaald.'

'Uw zoon... kan ze daar soms zijn?'

'Nee... nee, dan hadden Dennie of zijn vrouw mij zeker gebeld. Hij belt mij trouwens elke dag een keer of ik bel hen. Nee, daar kan ze niet zijn. Maar nu weet ik nog niet wat u bij mij komt doen,' vraagt Thea wat nerveus.

'Bent u als moeder niet ongerust over uw dochter?'

'Nu wel, ja... Toen ze nog bij jullie woonde, vond ik het weliswaar niet goed van haar, maar ik wist waar ze was en ze ging weer naar school en je moeder is een goede vrouw. Nu ik hoor dat ze niet meer bij jullie is... Weet jij soms meer over haar?'

'Ze gaat met een vent met een blauwe sportwagen, verder weet ik ook niks van haar,' antwoordt Evert.

'Gaat ze niet meer met jou?'

'Nee...' antwoordt Evert wat verlegen.

'Ken je die jongen?'

'Ik heb hem een keer gezien.'

'Zou ze dan bij hem wonen?'

'Dat is de enige mogelijkheid en daarom kom ik eigenlijk naar u, want ik dacht dat u misschien nog wat van haar gehoord zou hebben.'

'Nee, niks... en dat doet wel pijn. Sinds haar vader gestorven is, en dat is al meer dan twee jaar geleden, is ze nooit meer de oude geworden. In het begin was ze erg verdrietig en dat was ik ook... toch konden we elkaar nooit echt troosten. Ze was een "papa's kind". Als ik haar probeerde te troosten of over ons verdriet wilde praten, dan kreeg ik vaak een boze reactie en zei ze dat ik nooit van haar vader heb gehouden. Ze werd steeds opstandiger en ging niet meer naar school. Ze heeft nog een tijdje in een supermarkt gewerkt. Ik kon geen goed bij haar doen en zeker niet toen Arie, mijn tweede man, hier over de vloer kwam.'

'Dat kan ik mij wel voorstellen... mijn vader heeft ook een andere vrouw en als mijn moeder zou sterven, dan zou ik niks met die vrouw van hem te maken willen hebben. Zij heeft mijn vader van mijn moeder afgepikt!' zegt Evert wat fel.

'Toch is dat heel wat anders. Je doet net alsof ik ook overspel heb gepleegd, zoals jouw vader.'

'Sorry... ik ging even te ver... dat komt omdat mijn moeder daar nog steeds onder lijdt... begrijpt u?'

'Zeker begrijp ik dat.'

'Mijn moeder en ik hebben hier altijd heel eerlijk met elkaar over kunnen praten en dat is tussen u en Regina niet het geval. Jullie konden er samen niet over praten. Het is zelfs zo dat mijn moeder mij vrijlaat in mijn keuze om wel of niet bij mijn vader te gaan werken. Hij heeft namelijk een groot bedrijf en soms heb ik weleens zin om bij hem te gaan werken.'

'Je wilde toch arts of zoiets worden?'

'Eigenlijk wel, ja... maar alles zit mij op het ogenblik wat tegen... nu heb ik mij ziek gemeld.'

'Ben je ziek?'

'Nou, niet echt... ik kon gewoon mijn werk niet goed meer doen en in een ziekenhuis moet je goed functioneren, anders maak je fouten en dat kan mensenlevens kosten.'

'Pieker je over Regina?'

'Ja… eigenlijk wel, als ik eerlijk ben.'

'Dus je houdt echt van haar?'

Evert knikt verlegen.

'Jammer voor jou…'

'Hoe bedoelt u?'

'Je hebt beter verdiend.'

'Dat weet ik niet… ze is zo makkelijk te beïnvloeden en ik heb haar overal mee naartoe genomen. Vooral in de weekenden en dan dronken we nogal veel en maakten we plezier. Een dag daarna zat ze dan meestal in de put en liet ze mij merken, dat ze toch niet echt van mij hield, althans dat denk ik nu.'

'Maar jij bent verliefd op haar geworden?'

Opnieuw knikt Evert wat verlegen.

'Probeer niet meer aan haar te denken en afstand van haar te nemen. Ik ben bang dat ze ziek is in haar hoofd sinds haar vader is gestorven…'

'Dat moet toch een keer overgaan.'

'Dat dachten wij ook.'

'Nou ja… het is ook heel wat als je vader sterft terwijl je veel van hem houdt en dat dan een andere man zijn plaats inneemt. Want dat is gewoon haar probleem, dat heeft ze ons vaak genoeg laten merken. Mijn moeder kon goed met haar praten, omdat zij ook een groot verdriet bij zich draagt. Het is anders als je man van een andere vrouw gaat houden… Ach, wat klets ik… Het is allemaal hetzelfde. U heeft veel verdriet om uw eerste man gehad en nu u hertrouwd bent, heeft u weer verdriet om uw dochter. Regina mist haar vader en ik…'

'En jij mist Regina,' vult Thea aan, die merkt dat deze jongen wel erg veel om Regina geeft.

'Ja, dat is zo…'

'Dus nu zit ze waarschijnlijk bij een andere jongen. Weet je waar hij woont of zo?'

'Nee… ik ben naar haar school geweest om met haar te praten, maar ze was helaas niet op school. Belt ze u nooit?'

'Nee…'

'Ze heeft toch een mobieltje?'

'Dat heb ik ook al een paar keer geprobeerd, maar ze heeft een ander nummer of een nieuw mobieltje gekocht. Ik kan haar niet meer bereiken.'

'Dat klopt… ik kan haar ook niet meer bereiken op haar oude mobieltje. Ze moet sinds ze met die vent gaat een ander mobieltje gekocht hebben.'

'Het is te hopen dat ze nog terugkomt op school.'

'Morgen ga ik nog een keer kijken,' zegt Evert terwijl hij opstaat om te gaan.

'Mag ik nog iets tegen je zeggen?'

'Ja natuurlijk.'

'Weet je, Evert… Wij geloven in God…'

'Geloven in God doen wij ook wel, maar wij doen er gewoon niks mee. Er zal wel een God zijn, maar voor mij en mijn moeder is dat een soort mysterie, begrijpt u?'

'Dat is erg jammer.'

'Wij weten niet beter en ik ben er niet mee opgevoed. Mijn moeder vroeger wel, maar die heeft slechte ervaringen, niet met God, hoor, maar met de kerk,' legt Evert uit.

'Ga nog even zitten, dan drinken we nog een beker koffie.'

'Nou ja…'

'Ga nou maar zitten,' dringt Thea, die deze jongen graag mag, aan.

Evert gaat weer zitten en kijkt naar de foto van de man waar Regina's moeder mee is getrouwd. Hij ziet een man met een vriendelijk gezicht. Ja… hij zou zich hier best thuisvoelen, bij deze mensen.

'Zo, een beker koffie op z'n tijd is goed voor een mens,' zegt Thea terwijl ze hem de beker aanreikt.

'Weet je, Evert, als ik zo alleen ben, dan pieker ik vaak over het leven en dan heb ik vaak last van een soort schuldgevoel...'

'Schuldgevoel?'

'Tegenover mijn eerste man... dan vraag ik me af of ik er wel goed aan gedaan heb om met Arie te hertrouwen... Nu is alles zo anders... het is niet niks...'

Evert merkt dat er tranen komen. Thea veegt snel de tranen weg met haar zakdoek die ze steeds in haar hand heeft.

'Denk jij ook dat ik niet echt van mijn eerste man heb gehouden? Als je eigen kind dat zegt, al weet je zelf wel beter, dan ga je er toch over piekeren en krijg je last van een schuldgevoel. Soms kan ik er met Arie over praten. Hij heeft een goedaardig karakter en is een simpel mens. Soms zijn we echt gelukkig, maar dan gaan je gedachten toch weer terug naar je eerste man en al die ellende met mijn dochter die ik veroorzaakt heb door te hertrouwen...'

Plotseling gaat er een deur open en staat er een brede grote man in de deuropening.

'Zo, heb jij een vriend? Heb ik jullie even lekker betrapt,' lacht Arie terwijl hij Thea een zoen geeft en Evert een hand en zich voorstelt als Arie Birk.

'Evert Vonders,' antwoordt Evert terwijl hij de toegestoken hand aanneemt.

'Wat ben jij vroeg thuis?'

'Ze kunnen tegenwoordig met die computers niet goed meer plannen. Ik zou een rit hebben naar Friesland maar die rit is pas morgen. Nu heb ik wat magazijnwerk gedaan, wat kan dan zo'n dag lang duren. Laat mij maar op de weg zitten.

Ver van je baas en geen gezeur aan je hoofd over bestellingen die snel even klaar moeten,' vertelt Arie.

'Dus u bent vrachtwagenchauffeur?'

'Ja jongen, en jij zit zeker nog op school? Daar kreeg ik geen kans voor en dat is maar goed ook, want die computer van mij werkt niet zo snel. Er zitten te weinig bestanden in of hoe ze dat noemen,' lacht Arie, terwijl hij naar zijn hoofd wijst en Thea hem een beker koffie aanreikt.

'Dank je, schat. Is alles goed met je?'

Dan buigt Thea haar hoofd en snikt: 'Regina is er met een andere vent vandoor…'

'Ach, maak je niet druk om haar… Ze maakt je hele leven kapot. Laat ze toch haar gang gaan. Ze wil toch niet naar iemand luisteren en ze is oud en wijs genoeg. Ze komt zichzelf wel een keer tegen… Wat jij, Evert?'

Evert knikt alleen maar en merkt dat deze man een erg makkelijk karakter heeft.

'Dus jij bent Evert. Regina was toch bij jou en je moeder? Het ging toch goed met haar school en zo?'

'Dat dachten wij ook, tot ze met die ander ging,' antwoordt Evert wat verlegen.

'Wees blij dat je van haar af bent man.'

'Arie, praat niet zo dom,' zegt Thea terwijl ze haar tranen droogt. 'Evert geeft ook veel om haar en je moet niet vergeten dat het mijn dochter is.'

'Dat weet ik allemaal wel, maar we kunnen niet allemaal in de put gaan zitten omdat zij er zo nodig met een ander vandoor moet gaan. Maak je er niet te druk om. Ze komt heus wel een keer terug met hangende pootjes. Ik heb meer over zulke kinderen gehoord. Ze denken tegenwoordig al vroeg zelfstandig te zijn. Het blijven gewoon kinderen die niet weten wat ze willen. Zo gaan ze met die en dan hebben ze weer een ander en de ander heeft het altijd gedaan. Het moet tegenwoordig allemaal kunnen.'

Evert lacht een beetje om deze man, die eigenlijk wel gelijk heeft. Hij kijkt op zijn horloge en staat op en neemt afscheid van hen. Hij belooft hen snel weer eens op te zoeken en te bellen als hij wat van Regina hoort.

12

De twee weken in Spanje zijn omgevlogen. Regina heeft genoten van het prachtige land en van de rijkdom die haar omgaf. Ze heeft prachtige sieraden gekregen: een dure halsketting en een horloge met echte briljanten. Ze gaan bijna elke dag winkelen en naar het strand. Ze is in die twee weken mooi bruin geworden. Ze heeft prachtige kleren gekocht. Ricky heeft een goede smaak en kiest vaak de kleding voor haar uit. Ze merkt dat het voor Ricky nooit te duur is als ze iets voor haar kopen. Hij wil dat ze er mooi uitziet. Ze is een knappe verschijning. Ze lijkt niet meer op de Regina van zeventien jaar van een paar weken terug. Ze is nu een echte jongedame. Ze is erg verliefd op Ricky en ook erg trots op hem. Hij is een knappe verschijning en spreekt vlot Spaans. Hij maakt makkelijk vrienden. Toch besteedt hij veel aandacht aan haar. Hij is nog steeds haar droomprins. Ze zou niet meer buiten hem kunnen. Ze is in een totaal andere wereld terechtgekomen. Ricky is niet zomaar een jongen. Hij heeft gewoon iets: zijn slanke lichaam en dan dat donkere haar en die ogen die net donkere parels zijn. Bovendien is ze weg van zijn vlotte manier van omgaan met iedereen. Ze leeft in een wolk van liefde voor haar prins. Ze denkt niet meer aan het verleden. Ricky heeft haar in een korte tijd veranderd. In het begin had ze nog moeite met dingen die nu vanzelfsprekend zijn. Dit is genieten van het leven. Wat heeft ze vroeger dan een saai leven gehad. Jammer dat ze weer terug naar Nederland gaan. Ricky belooft haar nog weleens een keer samen naar een mooi land te gaan.

Als ze op Schiphol zijn en Ricky haar koffer draagt, merkt

Regina dat verschillende mannen naar haar kijken. Ze vindt het een prettig gevoel.

Als ze in de taxi zitten, zegt Ricky: 'Zo, we zijn weer terug in ons kikkerland.

'Jammer hè…' zegt Regina terwijl ze hem een zoen geeft.

'We gaan over een paar maanden weer. Ik moet nog wat zaken regelen, anders waren we er gebleven.'

'Ga je dan werken als we thuis zijn?'

'Het leven is prachtig, maar zonder geld kom je niet ver.'

'Moet ik weer naar school, denk je?'

'Nee, daar is mijn vrouwtje nu te groot voor. Jij gaat mij helpen met mijn werk. Je zult zien hoe fijn het is om met mij samen te werken.'

'Maar ik heb helemaal geen verstand van aandelen en zaken doen en zo…'

'Dat leer ik je snel genoeg. Als je maar veel van me blijft houden en doet wat ik zeg, dan leer je het vak zo.'

'Je doet toch niet alleen in aandelen?'

'Nee, overal waar Ricky geld ruikt is hij snel bij, maar daar moet jij hem wel mee helpen.'

De taxi stopt voor de flat van Ricky.

Als ze boven zijn, pakt Regina haar koffer uit en ruimt de kleding en juwelen die ze heeft gekregen van Ricky op.

'Jij moet wel erg rijk zijn, Ricky?'

'Dit is nog niks, als we samen echt veel geld gaan verdienen, kopen we een mooi huis in Spanje of Frankrijk. De hele wereld staat voor ons open. Het leven is geweldig, als je maar weet hoe je het aan moet pakken.'

'Wat ben je toch een boeiende en lieve man. Er is niet een meisje op de wereld dat zo'n man heeft,' zegt Regina terwijl ze haar kleren opbergt in een klerenkast.

Ze geeft Ricky een zoen en omhelst hem. Ricky kijkt haar

aan en laat haar los. Hij pakt zijn fototoestel en maakt een paar foto's van haar.

'Je hebt al zoveel foto's van mij in Spanje gemaakt, waarom maak je er nu nog meer?'

'Je bent zo mooi. Ik wil het vastleggen, zodat ik altijd van je kan genieten.'

'Voor jou doe ik alles, schat.'

Hij laat haar bepaalde kledingstukken uit- en aantrekken en maakt opnieuw allerlei foto's van haar. Ze geniet ervan als Ricky haar prijst, als ze alles doet wat hij vraagt.

'Prachtig meisje van mij…'

'Wil je niet vrijen… ik verlang zo naar je,' zegt Regina die dat van hem gewend is als hij foto's van haar maakt.

Hij bergt zijn fototoestel op en gaat in de keuken koffiezetten.

'Kleed je maar aan, schat, dan zet ik een kop koffie voor je.'

Terwijl Regina zich aankleedt en even later in de kamer komt vraagt ze: 'Wat ga je met al die foto's doen en waar laat je die ontwikkelen… niet iedereen mag zulke foto's van mij zien… alleen jij.'

'Maak je niet bezorgd, meisje. Ik heb een vriend die werkt bij de film; hij heeft een studio en maakt veel foto's van fotomodellen en soms vindt hij een meisje geschikt voor een film.'

'Meen je dat echt… heb ik kans om fotomodel te worden of in een film te mogen spelen?'

'Dat zal van jouzelf afhangen. Je bent mooi en knap genoeg. Je moet alleen nog veel leren. Die foto's die ik maak, zijn maar kinderspel.'

'Kun jij me leren wat ik nodig heb?'

'Ik maak nog een ster van je.'

'Echt?'

'Als je maar goed naar mij luistert.'

'Ga ik dan veel verdienen en word ik dan echt beroemd?'

'Laat dat maar aan Ricky over, meisje.'

'Je bent een schat, Ricky...'

Ze drinken samen koffie, maar dan pakt Ricky zijn leren jack en geef Regina een zoen.

'Waar ga je naartoe?'

'Even wat zaken doen op de bank.'

'Mag ik niet mee?'

'Ga jij maar wat rusten, als ik terugkom, gaan we samen uit en gaan we genieten van het goede leven,' lacht Ricky terwijl hij haar een zoen geeft.

'Blijf toch, Ricky, ik kan niet alleen zijn. Je bent zo goed en lief voor mij.'

'Er moet geld komen, meisje, en daar ga ik nu voor zorgen. Over een paar uur ben ik weer terug.'

'Oké...'

Als Ricky de deur uit is en ze wat door de kamer loopt en overal in de kasten en laden kijkt, ziet ze dingen die haar vreemd voorkomen.

Ze vindt zelfs een pistool in een lade. Zou dat van Ricky zijn?

Ze gaat voor een grote spiegel staan en kijkt naar haar eigen spiegelbeeld. Een stemmetje in haar zegt: 'Wie ben jij eigenlijk...' Ze moet aan haar moeder denken... als die alles eens wist... Nee, ze moet het verleden achter zich laten, heeft Ricky haar geleerd. Ze komt weer terug in het oude leven... dat wil ze niet. Toch kan ze haar gedachten niet stilzetten en zelfs Evert komt in beeld. Het stemmetje zegt: 'Hij houdt echt van je en zijn moeder was zo goed voor je... waarom doe je dit hun allemaal aan...

'Zeur niet!' schreeuwt ze door de kamer.

Ricky is alles voor haar. Wie kan er tegen Ricky op? Hij is een echte man. Een man van de wereld. Ze wil genieten en ze heeft genoten in Spanje. Ze heeft een knappe jongen met geld en ze kan krijgen wat ze hebben wil. Wat wil een meisje nog meer?

Maar mag ze wel zover gaan... die foto's... wat gaat Ricky daarmee doen? Zal hij niet... nee, dat doet Ricky niet... Hij zorgt dat ze fotomodel wordt en misschien wel een rol in een film krijgt, dat is toch een geweldig beroep. Hoeveel meisjes zijn er wel niet fotomodel en dan al die filmsterren, dat zijn toch ook gewone meisjes geweest? Stel je voor dat ze echt in modebladen of in een film komt... Ricky heeft immers overal zijn vrienden... wie weet... het is best spannend. Ze moet wel haar best doen dat hij bij haar blijft. Het is een knappe jongen. Ze heeft vaak genoeg gezien dat veel meisjes naar hem lonkten. Vooral in Spanje. Hij kan andere meisjes krijgen. Ze moet mooi voor hem zijn en veel van hem houden. Toch kan hij soms zomaar afstand van haar nemen als ze samen zijn en zij lief tegen hem doet, dan denkt hij zeker aan zijn zaken. Hij krijgt ook vaak telefoontjes en het gebeurt ook weleens dat hij dan erg tekeergaat door de telefoon. Hij wordt op haar nooit boos. Als ze maar lief voor hem is. Hij heeft haar geleerd wat hij fijn vindt als ze samen zijn, daar is Evert maar een koude kikker bij. Soms vraagt hij dingen van haar die ze eigenlijk een beetje vreemd vindt, maar ze moet weten wat mannen behaagt, volgens hem. Voor Ricky is haar niks te veel.

Ze wil hem niet kwijtraken... ze moet er niet aan denken, dat hij met een ander zou gaan... nee, dan doet ze liever wat hij van haar vraagt... Zo piekert Regina als ze alleen is. Ze probeert het schuldgevoel weg te duwen door te denken aan wat ze met Ricky beleefd heeft in die twee weken. Ze weet heel goed dat het haar geweten is dat haar probeert aan te klagen. Maar er zijn zoveel mooie kanten die de kwade kanten van Ricky bedekken, dat ze die dan maar voor lief moet nemen… als zij Ricky maar heeft.

Ricky stapt snel in zijn sportwagen en rijdt de stad door. Bij een groot huis belt hij aan.

Als de deur opengaat, verschijnt er een brede grote man met een kaal hoofd

'Hé Ricky, jij hier?'

'Ik heb wat materiaal voor je.'

'Zal wel weer wat moois zijn,' lacht Nico.

'Zul je van opkijken, ontwikkel dit filmpje maar eens.'

'Oké… pak jij maar twee pilsjes uit de koelkast,' zegt Nico.

Onder in de kelder staan veel camera's en felle lampen opgesteld. Je kunt zien dat hier geen amateur werkt.

Ricky pakt twee blikjes bier uit de koelkast en opent ze. Hij zet er een bij Nico neer die druk bezig is het filmpje te ontwikkelen. Ondertussen neemt hij zelf een paar slokken bier.

'Nou, wat zeg je ervan?'

'Geduld, jongen. Het gaat niet allemaal vanzelf, al heb ik moderne apparatuur in huis.'

'Dat heb je aan ons te danken. Als wij jou geen spul leverden, dan was je nu nog een arme sloeber,' spot Ricky.

'Dat ziet er goed uit, kerel, dat heb je weer eens goed geflikt, daar weet ik wel raad mee.'

'Ho… ho eerst praten, hè,' zegt Ricky terwijl hij de foto's bekijkt samen met Nico.

'Hoe kom je aan zo'n kind?'

'Dat zijn mijn zaken. Overal waar ik zelf op sta, daar werk je wel mijn gezicht weg, oké?'

'Zoals altijd, dat weet je toch,' antwoordt Nico terwijl hij het blikje bier leegdrinkt. 'Je kunt al behoorlijk goed met je camera omgaan. Deze heb je zeker met een verborgen camera gemaakt?'

'Wat dacht jij... ze is nog erg preuts, maar wel een mooi kind, hè,' antwoordt Ricky. 'Kan ik alvast poen van je krijgen... als je goed betaalt, kun je nog meer verdienen.'

'Gewone prijs, Ricky.'

'Deze zijn meer waard... wel het dubbele, anders probeer ik het wel bij een ander.'

'Je gaat te ver, Ricky.'

'Als ik jou nou eens vertel dat mijn lieve meisje fotomodel wil worden en graag beroemd wil worden.'

'Heb je haar dat wijsgemaakt en wil ze echt hier werken?'

'Als je genoeg betaalt, lukt het mij misschien wel.'

'Oké, het dubbele, als je belooft dat ze hier van de week komt poseren en wij een paar goede films van haar kunnen maken. Maar het moet vertrouwd zijn, ik moet geen moeilijkheden hebben,' zegt Nico nadrukkelijk.

'Ze is helemaal gek van mij. Maak je geen zorgen.'

'Dus je bent met haar in Spanje geweest?'

'Ja... hoe kun je dat zien?'

'Kijk, hier op het strand en die naam op dat hotel, dat moet ik allemaal wegwerken en die kop van jou ook.'

'Zet je eigen kop erop, man, dan verkoopt het nog beter,' lacht Ricky terwijl hij nog twee blikjes bier pakt.

'Dus we kunnen verder met haar werken?'

'Nog één ding.'

'En dat is?'

'Kun je zorgen voor een kamertje bij jouw vrouwtjes achter de ramen?'

'Dat gaat niet zo makkelijk, Ricky.'

'Hou je niet van de domme, Nico...'

'Ik wil haar wel hebben, maar alleen als jij haar daarvoor klaarstoomt en bij haar blijft; anders gaat het toch weer mis.'

'Ze blijft van mij, Nico.'

'Dat kost je dan wel geld, jongen, die kamertjes kan ik goed verhuren zoals je weet.'

'Oké, ik betaal de huur, maar de rest is voor mij,' zegt Ricky, die wel weet dat hij niet zo gemakkelijk aan een kamertje komt.

'Je zorgt wel dat ze hier blijft komen om te poseren,' zegt Nico.

'Geen probleem. Ik bel je nog wel. Ze moet eerst nog wat verwend worden, mijn lieve poesje,' lacht Ricky terwijl hij een stapeltje bankbiljetten in ontvangst neemt van Nico.

'Bedankt en ik bel je nog wel voor een afspraak bij de fotograaf,' lacht Ricky.

'Met zulk spul ben je altijd welkom,' antwoordt Nico.

Ricky rijdt snel terug naar zijn flat. Hij moet zijn goudduifje niet te veel alleen laten. Stel je voor dat ze op andere gedachten komt of alles doorheeft. Hij moet het allemaal goed spelen, totdat ze in zijn web gevangenzit en er niet meer uit kan. Dit goudduifje moet hij goed bewaken, voordat ze hem door krijgt en hulp inroept. Hij moet ook zorgen dat haar mobieltje niet meer werkt. Ze kan nu zomaar overal heen bellen. Hij moet eerst zorgen dat ze een keer naar Nico gaat en dan die kamer huren. Als hij haar zover kan krijgen, zit hij voorlopig goed in de slappe was en komt hij goed voor de dag bij zijn concurrenten.

Als hij zijn flat binnenstapt en Regina op de bank ziet liggen, merkt hij dat ze in slaap is gevallen van vermoeidheid van de lange reis vanuit Spanje. Zo'n meisje is dat allemaal nog niet gewend. Hij gaat in de slaapkamer zitten op het bed, haalt het stapeltje bankbiljetten uit zijn binnenzak en telt alles na.

Regina, die wakker wordt, ziet door de glazen deur van de slaapkamer Ricky op het bed zitten en zijn bankbiljetten tellen.

Ze loopt naar hem toe en vraagt: 'Heb je zoveel geld van de bank gehaald?'

'O...' schrikt Ricky, 'ben je wakker?'

'Ben je al lang terug?'

'Nee, net.'

'Je hebt weer geld genoeg. Heb je veel verdiend met die aandelen?'

'Ik had geluk van de week. Het heeft goed wat opgeleverd. Je moet gewoon lef hebben met verkopen en kopen, dat is alles.'

'Gaan we vandaag nog ergens eten of kook jij zelf wat?'

'Zoveel geld en dan zelf wat koken?'

Regina gaat naast hem op bed liggen en fluistert: 'Nou, bewijs dan eens dat je zoveel van mij houdt en niet de geldkoorts hebt.'

'Luister,' zegt Ricky dan ineens ernstig.

'Ik luister, schat.'

'Ik ben ook even bij mijn vriend geweest in de studio. Hij heeft de foto's bekeken.'

Regina gaat rechtop zitten en zegt met een rood hoofd: 'Heeft hij echt al die foto's gezien... ook die van ons samen?'

'Nico is heel wat gewend en het is zijn beroep. Hij gebruikt de nette foto's en hij kan die andere zo veranderen als hij zelf wil. Zit daar maar niet over in. Trouwens, als jij fotomodel wilt worden, zul je niet te preuts moeten zijn. Hij wil foto's van je maken voor een damesblad en dan kun je fotomodel worden en misschien heeft hij wel een filmrol voor je, als je goed je best doet.'

'Echt... meen je dat, Ricky?' zegt Regina nu ze dit hoort. Hier kan een meisje als zij alleen maar van dromen.

'We zullen voor morgen een afspraak bij hem maken en dan ben je door mijn toedoen zomaar fotomodel geworden. Wie weet word je nog beroemd,' lacht Ricky terwijl hij Regina omhelst.

'Kleed je aan, we gaan ergens lekker uit eten en dan gaan we naar de stad en pakken een mooie spannende film, oké?'

13

Regina heeft bij Nico een aantal foto's van zich laten maken. Ze was het vaak niet eens met de manier waarop ze werd gefotografeerd. Ricky, die er zelf bij was, wist haar dan zover te krijgen, dat ze alles deed wat Nico wilde. Ze beloofden haar dat ze beroemd zou worden en dat ze zelf mocht beslissen welke foto's wel in een damesblad konden verschijnen. Ze vond het niet echt fijn om zich te laten fotograferen met zo weinig kleding aan, maar ze wilde immers beroemd worden, dan moest ze er ook wat voor overhebben en ze kon tenslotte niet altijd op de zak van Ricky blijven leven. Ze zou hier veel geld mee verdienen en misschien ook een rol in een film krijgen als ze maar deed wat Ricky wilde. Ze hoefde er maar weinig moeite voor te doen. Ze moest alleen niet zo preuts doen, wat maakt het uit of ze nou zo goed als geen kleding draagt of soms zelfs helemaal niets. Ze mocht zelf beslissen welke foto's voor een film mochten worden gebruikt. Ze had kans dat ze al binnen korte tijd een rol in een film mocht spelen en daar moest je in het begin wat voor overhebben en lef hebben, had Ricky tegen haar gezegd. En lef had ze, als Ricky dat wilde. Ze vertrouwde Ricky helemaal. Hij was haar jongen. Ze zou niet meer zonder hem kunnen, hij zorgde immers voor haar. Ze hadden samen heel erg genoten in Spanje en nu heeft ze ook een fijn leven. Ze hoeft niet meer naar school en ook niet te werken. Ze had het samen met Ricky gemaakt.

Als Ricky weg is en zij alleen in zijn flat is, dan krijgt ze het weleens moeilijk. Maar als Ricky er is en zelfs als hij haar dingen laat doen die ze niet prettig vindt, weet ze een knopje om te draaien en dan denkt ze alleen maar aan de leuke dingen samen met Ricky.

Ze is nu ook alleen. Ricky moest nodig weg voor zijn werk. Hij vertelde haar dat hij veel geld ging verdienen, zodat ze konden blijven genieten van het leven.

Ze moet aan thuis denken. Aan haar vader waar ze zoveel van hield en die ze zo mist en aan haar moeder die ze niet meer wilde ontmoeten nadat ze hertrouwd was. Ze vindt het nu gek dat ze zo reageerde toen haar moeder hertrouwde. Eigenlijk had ze geen hekel aan Arie. Hij was aardig en had alles over voor haar moeder. Hij was goed voor hen. Ze kon alleen niet verdragen dat hij de plaats van haar vader innam. Gek... ze denkt nu overal heel anders over... Hoe zouden ze over haar denken, als ze vertelde over Ricky en de dingen die ze samen met hem deed in de studio bij Nico? Ze moet denken aan de foto's en films die ze gemaakt hebben... Ach, waar maakt zij zich druk over. Als ze eenmaal zelf de foto's gezien heeft en dan mag uitmaken welke ze mogen gebruiken, dan zal het wel meevallen. Er zijn maar weinig meisjes die zo'n kans krijgen als zij. Toch is er een soort schuldgevoel... ze probeert dat dan ook weg te drukken. Als Ricky bij haar is, heeft ze daar geen last van. Hij is zo lief voor haar en heeft overal een antwoord op. Zou hij het wel echt met haar menen... zal hij altijd bij haar blijven en van haar blijven houden? Hij is erg knap en kan aan elke vinger wel een meisje krijgen als hij dat wil. Vaak is ze bang dat hij niet echt van haar houdt... die angst komt vaak naar boven als ze dingen moet doen die volgens haar niets met echte liefde te maken hebben en waarvan hij zegt dat elk meisje die voor hem zou doen als hij dat wilde.

Hoe kan ze Ricky voor altijd aan zich binden zodat hij alleen van haar is en hij niet meer zonder haar kan?

Dan bedenkt ze een slim plannetje. Als hij toestemt, dan weet ze zeker dat hij van haar houdt, en wordt ze niet misbruikt, waar ze soms weleens bang voor is.

Als Ricky die middag weer terug is en Regina wat zorgelijk naar hem kijkt, vraagt hij wat er aan de hand is.

'Voel jij je niet goed?'

'Jawel hoor,' antwoordt Regina gemaakt vrolijk.

'Volgens mij pieker je te veel en heb ik je weer te lang alleen gelaten. Je moet er wel over praten als je iets dwarszit, hoor. Je weet dat ik wil dat je gelukkig bent en dat is ook in mijn eigen belang, want wat heb ik aan een vrouw die zich niet gelukkig voelt?' zegt Ricky wat bezorgd.

'Weet je... ik ben al een tijd niet meer thuis geweest en heb nooit meer iets van mij laten horen...'

'Je wilde toch niks meer met je moeder te maken hebben sinds ze hertrouwd is? Je woonde toch al een tijdje bij die vriend met zijn moeder, of wil je soms terug naar die vent?' vraagt Ricky terwijl hij haar donker aankijkt.

'Nee joh... je moet niet gelijk zo jaloers worden.'

Ze loopt naar hem toe, kust hem en stelt hem gerust.

'Wat wil je dan?'

'Gewoon een keer naar mijn moeder...'

'Je bent toch geen kind meer.'

'Daar gaat het niet om... we gaan nu al een tijd met elkaar. We kunnen toch gewoon een keer naar huis gaan... vind je dat zo gek?'

'Eerlijk gezegd wel...'

'Toch zou ik het graag willen.'

'Als jij dat zo graag wilt, dan ga je maar alleen en reken erop, als je naar die vent gaat, dat ik je weet te vinden.'

'Doe een beetje normaal, wil je... wie zegt dat ik naar

Evert wil? Wat zou ik bij hem moeten doen? Hij kan niet tippen aan jou. Je weet dat ik niet zonder jou kan... je mag niet jaloers zijn, Ricky.'

'Dat ben ik wel... ik wil je niet meer missen... jij mij dan wel?' vraagt Ricky wat bedroefd, nu hij het niet helemaal vertrouwt en zijn plannen in duigen ziet vallen als hij haar los laat.

'Gewoon even bij mijn moeder aanwippen kan toch geen kwaad?'

'Oké, dan ga ik wel mee.'

'Mijn moeder zal het best fijn vinden als we haar samen opzoeken en ik haar vertel dat wij van elkaar houden en dat ik een goede baan heb.'

'Daar moet je wel een beetje voorzichtig mee zijn. Ze is nogal christelijk toch en misschien keurt ze het allemaal wel af en gaat ze allerlei lastige vragen stellen,' antwoordt Ricky, die niet weet wat hij hiermee aan moet. 'Ik weet toch niet of ik het wel zo'n goed plan vind.' Hij wil haar echter niet alleen laten gaan, omdat ze dan misschien te veel praat of zelfs helemaal niet meer terugkomt.

'Het is toch normaal dat ik het weer goed met mijn moeder wil hebben.'

'En die kerel dan?'

'Arie is een beste vent.'

'Ik heb weleens anders van je gehoord.'

'Nou ja... ik kon niet goed verwerken dat hij de plaats van mijn vader innam... maar dat is nu over. Sinds ik bij jou ben, denk ik heel anders over zulke dingen.'

'Denk je dan niet meer aan je vader?'

'Nee... het is allemaal zo ver weg nu... alles is anders geworden nu ik in jouw wereld leef,' zegt Regina eerlijk.

'Maar ik praat toch ook nooit over mijn ouders,' probeert

Ricky om haar ervanaf te houden.

'Dus jij hebt ouders,' lacht Regina.

'Uiteraard.'

'Waarom praat je nooit over hen?'

'Ze hebben mij in de steek gelaten. Mijn moeder ging ervandoor en mijn vader is een zuiplap. Hij sloeg haar vaak in elkaar. Zij liet mij zitten bij mijn vader.'

'Dus je hebt niet zo'n leuke jeugd gehad?'

'Dat heb ik zeker niet... nu ik jou ken, voel ik mij wat gelukkiger, maar dan moet je niet zeuren over je ouders... dat doet mij pijn,' antwoordt Ricky wat emotioneel.

Regina legt haar arm om hem heen en zegt: 'Mijn moeder is eigenlijk best een goede moeder voor mij geweest.'

'Dat heb ik weleens anders gehoord.'

'Dat komt door mijn vader, maar dat wil je gewoon niet begrijpen.'

'Je moet je ouders verlaten en je man aanhangen,' zegt Ricky.

'Hé... ken jij de Bijbel ook?' lacht Regina als ze dit uit de mond van Ricky hoort.

'Misschien wel beter dan jij.'

'Van wie heb je dat?'

'Van mijn oma, die was erg gelovig en las mij vaak voor uit de Bijbel en ik ging ook weleens met haar mee naar de kerk,' legt Ricky uit.

'Dus je geloofde wel in God?'

'Niet zoals jullie.'

'Wat geloof jij dan?'

'Ik geloof alleen maar in een Schepper Die mij gemaakt heeft en alles wat op deze aarde leeft, maar niet in al die sprookjes die in de Bijbel staan en in wat de kerk zegt.'

'Dus jij vindt de Bijbel een sprookjesboek?'

'Inderdaad.'

'Dus jij gelooft niet in de Heere Jezus?'

'Nee, Die hebben de mensen zelf verzonnen.'

'Waarom denk je dat?'

'Omdat het niet eerlijk is.'

'Wat is dan niet eerlijk?'

'Dat die man voor slechte mensen moest lijden en sterven, dat is toch niet eerlijk. Als ik ergens wat pik en ze pakken mij, dan moeten ze mij daarvoor straffen en niet een ander. Hij is zelfs gestorven voor een moordenaar… wist je dat?'

'Je moet het anders zien. Wij doen allemaal zonden, maar de Heere Jezus was zonder zonden. Daarom kon Hij voor ons sterven en voor God verschijnen.'

'Maar als Hij bij God aankomt met al de zonde van heel de wereld, dan kan God Hem toch ook niet vergeven.'

'Daar heeft Hij voor geleden aan het kruis.'

'Nou en… er zijn wel meer mensen die erg geleden hebben.'

'Hij is zelfs in de hel nedergedaald voor onze zonden…'

'Ach, geloof al die onzin toch niet. De mensen willen er op deze manier gewoon gemakkelijk vanaf komen en hebben het gewoon verzonnen.'

'Laten we er maar niet meer over praten,' zegt Regina terwijl ze denkt aan haar eigen leven dat ze nu samen met Ricky leeft.

Ricky trekt zijn jack aan en wil weggaan.

'Waar ga je heen?'

'Even wat geld halen.'

'Mag ik mee… en kunnen we dan gelijk even langs mijn moeder gaan?'

'Nou ja…'

'Ricky, even maar…?'

'Oké... maar we blijven er niet lang en je gaat geen gekke dingen vertellen.'

'Wat mag ik niet vertellen?'

'Over die foto's en zo.'

'Waarom niet?'

'Dat zal je moeder niet goedkeuren. Je kunt er maar beter niet over praten.'

'Bij ons thuis weten ze heus wel wat een fotomodel is. Er staan ook vrouwen in christelijke bladen.'

'Ja... netjes gekleed en zo... dat kun je niet vergelijken met wat jij doet.'

'Ik hoef toch niet alles te vertellen.'

'Als je dat maar goed in je hoofd prent,' zegt Ricky terwijl hij haar fel aankijkt.

'Je doet net alsof je bang bent voor mijn moeder.'

'Is die kerel van haar ook thuis?'

'Dat weet ik niet, maar Arie is een beste kerel.'

'Dat zeg je nou.'

'Hij had alleen niet met mijn moeder moeten trouwen, daar hebben ze mij pijn mee gedaan.'

'Je moeder verlangde zeker ook naar een man in bed,' lacht Ricky schamper.

'Hou je mond... wil je?'

'Ja hoor,' lacht Ricky terwijl ze samen de flat uitlopen naar de sportwagen van Ricky.

Even later staan ze voor het flatgebouw waar Regina's moeder met Arie woont.

Het is al aan het eind van de middag. Regina belt aan. Ze heeft zelf wel een sleutel, maar is bang dat haar moeder dan erg zal schrikken.

Voorzichtig gaat de deur open en Regina kijkt in de ogen

van haar moeder. Die trekt wit weg en zegt met een zachte stem vol verbazing: 'Regina... Regina... jij... kom binnen, kind... wat fijn dat je komt, zeg...'

Ze ziet niet dat er nog iemand achter Regina staat, maar Regina schuift Ricky naar voren.

'Dat is mijn vriend Ricky...'

'O... komen jullie maar binnen.'

Ze volgen haar naar de woonkamer.

'Hè... wat krijgen we nou... Jij hier?' zegt een mannen-stem.

'O... Arie, ben je ook thuis?'

'Heb je liever dat ik wegga... je zegt het maar,' antwoordt Arie terwijl hij opstaat.

'Nee... zo bedoel ik het niet... ik dacht dat je aan het werk was.'

'Ik ben net thuis... als je 's morgens vroeg begint, dan ben je ook vroeg thuis,' zegt Arie, terwijl hij Ricky een hand geeft en hun een stoel wijst.

'Laat ik even koffiezetten,' zegt Thea terwijl ze een paar tranen wegveegt.

Regina heeft het in de gaten en ziet dat haar moeder er slecht uit ziet. Ze heeft wallen onder haar ogen en heeft er veel grijze haren bij gekregen.

Ze gaat haar moeder achterna naar de keuken en sluit de deur achter zich.

'Vrouwen onder elkaar,' zegt Arie met een glimlach naar Ricky.

Dit maakt Ricky nu juist zo nerveus. Nu heeft hij niet alles onder controle, wie weet wat ze haar moeder vertelt.

'Studeer je nog?' vraagt Arie.

'Nee...'

'Dus je hebt werk?'

'Wat heet werken... ik doe in aandelen.'

'Dat is link tegenwoordig, heb ik weleens gehoord.'

'Als je maar weet wat je koopt en weer op tijd verkoopt.'

'Sorry... daar heb ik geen kaas van gegeten,' zegt Arie eerlijk.

'U bent vrachtwagenchauffeur?'

'Dat klopt, ja.'

'Mooi vak. Zo zie je nog eens wat van de wereld.'

'Dat valt wel mee. Tegenwoordig rij ik veel op Duitsland en België en ook vaak in Nederland en dat is geen pretje meer met al die files. Daarom vertrek ik 's morgens al heel vroeg, dan ben ik de files voor.'

'Wat is vroeg?' vraagt Ricky, terwijl hij langs Arie heen kijkt richting keukendeur. Het duurt hem te lang dat Regina daar met haar moeder alleen is.

'Soms vertrek ik weleens om vier uur in de morgen.'

'Dan gaat u zeker al vroeg naar bed?'

'Dat kun je wel zeggen, anders hou je het niet vol en loop je de kans dat je in slaap valt achter het stuur.'

'Dat gebeurt nog weleens. Soms zie ik weleens zo'n vrachtwagen slingeren als ik hem wil passeren.'

Dan gaat de keukendeur open en komt Thea binnen met een dienblad met vier kopjes koffie gevolgd door Regina.

Ze zet bij ieder een kopje koffie neer.

'Dus je gaat niet meer naar school?' vraagt Arie.

'Nee... ik heb dankzij Ricky een goede baan.'

'En dat is?'

'Fotomodel...'

Het is een tijdje stil.

'Wat moet ik mij daarbij voorstellen?' vraagt Thea, haar dochter aankijkend.

'Gewoon voor damesbladen...'

'Wat zijn dat voor bladen?'

'Dat weet ik nog niet precies,' antwoordt Regina eerlijk.

'Je mag wel uitkijken, tegenwoordig zie je de gekste dingen in die bladen,' zegt Arie nuchter.

'Kijkt u in damesbladen dan?' vraagt Regina.

'Nou ja... je weet wel, als ik ga tanken, dan zie ik weleens van die bladen. Ik snap niet dat die vrouwen zich daarvoor lenen,' zegt Arie eerlijk.

'Je gaat toch geen gekke dingen doen, Regina?' vraagt Thea, terwijl ze haar dochter nerveus aankijkt.

'Beginnen jullie nu niet meteen weer te zeuren. Nu heb ik een nette vent en werk en jullie denken gelijk dat ik naakt poseer voor een blad. Nou, leuk hoor,' valt Regina uit.

'U hoeft zich echt niet ongerust te maken. Ze komt in nette damesbladen met dure kleding,' zegt Ricky heel correct.

'Ga je nog weleens naar een kerk?' vraagt Thea.

'Nee... moet dat per se?'

'Je bent erbij opgevoed.'

'Wij doen nergens aan maar we kunnen ook eerlijk en netjes leven zonder de kerk,' antwoordt Regina.

'De dominee vraagt nog weleens naar je,' zegt Thea.

'Doe hem de groeten maar. Misschien mag hij ons een keer trouwen, tenminste als we dan nog in de kerk mogen komen,' spot Regina.

Ricky kijkt op zijn horloge en zegt terwijl hij opstaat: 'We moeten nodig eens gaan. Ik heb over een kwartier een belangrijke afspraak.'

Regina staat gelijk op als ze de ogen van Ricky ziet die haar veelbetekenend aankijken. Ze geeft haar moeder een zoen en zegt: 'Niet ongerust zijn, moedertje.'

'Toch moet je uitkijken, hoor...' antwoordt haar moeder nerveus.

14

Het is een tijdje stil als Regina met haar vriend vertrokken is.

Thea kijkt Arie aan die wat heen en weer loopt in de kamer en uiteindelijk vraagt: 'Was dat je dochter?'

Hij krijgt geen antwoord. Als hij achteromkijkt, ziet hij zijn vrouw op de bank zitten met haar gezicht in haar handen.

Arie loopt naar haar toe, neemt haar in zijn armen en troost haar. 'Zo bedoel ik het niet, Thea... natuurlijk is zij jouw dochter.'

'Je hebt gelijk... het is zo... ze ziet er niet uit met die kleren en ze heeft zich zo opgemaakt... Ze is zo heel anders.'

'Kleine meisjes worden groot, Thea...'

'Nee Arie, dat is het niet...'

'Waar pieker je dan over?'

'Ze is op het verkeerde pad.'

'Dat was ze allang. Toch duikt ze nu ineens weer op.'

'Heb je de sieraden die ze draagt gezien?'

'Die vent verdient goed met zijn aandelen en zij vast ook wel als fotomodel.'

'Geloof jij die vent?'

'Ik kan geen hoogte van hem krijgen.'

'Het is een gluiperd, Arie...'

'Hoezo?'

'Hij durft je niet aan te kijken... zeg nou zelf eens eerlijk.'

'Wat moet ik zeggen... ze is oud en wijs genoeg... Ze is gek van die vent.'

'Het is jouw dochter niet.'

'Ze wil niet eens mijn dochter zijn, daar ben ik te min voor.'

'Dat is niet waar... ze kan jou niet aanvaarden omdat je de plaats van haar vader hebt ingenomen.'

'Daarom kan ze wel normaal doen, het is geen kind meer,' zegt Arie wat kort.

'Laten we er niet meer over praten,' zegt Thea, die merkt dat Arie kwaad wordt omdat hij nooit aanvaard is door Regina.

'Nou komt ze je opzoeken en ga je zitten janken,' gaat Arie verder.

'Waarom word je nu kwaad?'

'Omdat alles om jou en die dochter van je draait... soms voel ik mij hier een soort indringer.'

'Dat is niet zo, Arie, maar jij moet ook ons kunnen begrijpen.'

'O ja... laat mij niet lachen. Je bent met mij getrouwd en de eerste dag had je er al spijt van.'

'Dat kwam omdat Regina is weggelopen op onze trouwdag.'

'Maak je dan niet zo druk om dat kind. Moet je zien hoe ze eruit ziet... ze lijkt wel een soort... ach, laat ik mijn mond maar houden...'

'Arie, het is mijn dochter...'

'Je hebt het toch zelf ook gemerkt. Ze zag er niet uit met die korte rok en dat truitje... Ze loopt er uitdagend bij.'

'Daarom zit ik zo over haar in en kan ik haar niet geloven. Ze zegt dat ze fotomodel is bij gewone damesbladen.'

'Geloof dat toch niet. Die vent verdient gewoon geld aan haar. Misschien is hij wel een soort pooier...'

'Wat is dat voor iemand?'

'Dat zijn mannen die zorgen voor vrouwen die geld voor hen verdienen doordat ze voor geld met mannen meegaan.'

'Zoiets doet Regina niet. Ze houdt van die Ricky, dat weet

ik zeker. Ze heeft mij in de keuken verteld hoe gelukkig ze is met hem en dat hij erg lief voor haar is.'

'Dat kan allemaal wel waar zijn. Maar die vent deugt niet. Hij wist niet hoe snel hij hier weg moest komen en zeker toen jullie in de keuken waren, zat hij op hete kolen. Hij was bang dat ze jou te veel zou vertellen over hem en dat fotomodelgedoe.'

'Zou ze dan echt foto's van zich laten maken die... nou ja...'

'Daar ben ik wel bang voor... moet je haar kleding en die sieraden zien en hij heeft zelf een gouden ketting en een massief gouden horloge om en wat dacht je van die sportwagen die hij rijdt?'

'Dus jij denkt dat Regina zich laat gebruiken door die vent?'

'Dat weet ik wel bijna zeker.'

'Hij zit toch in de handel?'

'Ik ben maar vrachtwagenchauffeur, maar heb wel zoveel mensenkennis, dat ik zulke jongens er zo uit pik.'

'Waarom zeg je dat nu pas?'

'Doe niet zo naïef... je weet zelf ook wel beter. Ze kwamen hier gewoon voor de schijn. Dacht jij nu echt dat zij haar moeder zo miste?'

'Waarom denk je dan dat ze hier kwamen?'

'Net doen of ze een net en eerlijk leven leiden, maar ondertussen voor het vaderland weg leven en alles doen waar ze geld aan verdienen.'

'Hij doet toch in aandelen en hij lijkt mij echt niet dom,' houdt Thea vol.

'Je moet er je ogen niet voor sluiten. Je wordt niet zomaar ergens fotomodel en als ze dat wel is, dan doet ze dingen die wij als christen afkeuren.'

'Je bedoelt dat ze foto's laat maken die voor mannen bestemd zijn.'

'Dat denk ik wel, ja...'

'Maar waarom komt ze dan zo ineens naar huis? Ze heeft maanden niks van zich laten horen. Toen ze bij die andere jongen en zijn moeder in huis was en naar school ging, wilde ze niets met mij te maken hebben. Ik ben nog een keer bij haar school geweest. Ze maakte ruzie en kon mij niet vergeven dat ik hertrouwd was met jou.'

'Vind je dat normaal?'

'Ik weet het niet meer...' snikt Thea.

'Weet je wat je moet doen?'

'Nee...'

'Je moet haar gewoon vergeten.'

'Dat kan ik niet... en zeker niet nu ze ons heeft opgezocht.'

'Dat zij van hem houdt, dat kan ik nog wel geloven, maar hij doet alsof en maakt misbruik van haar.'

'Hoe kun je dat nu weten?'

'Dat voel ik gewoon aan.'

'Toch kan ik het niet geloven.'

'Meisjes op die leeftijd zijn een gemakkelijke prooi voor zulke jongens. Je leest er vaak genoeg over.'

'Je denkt toch niet dat Regina zoiets doet?'

'Ze is al aardig op weg. Hij begint met foto's maken en belooft haar van alles en dan gaat ze voor de bijl.'

'Je hebt een rijke fantasie en leest te veel verkeerde boeken.'

'Ook in onze eigen krant wordt gewaarschuwd voor zulke jongens.'

'Dat gaat over loverboys... dat heeft niks met Regina te maken.'

'Dat is te hopen, maar ik betwijfel het.'

'Mannen denken altijd aan zulke dingen…'

'Thea, het is de werkelijkheid. We leven in een wereld waar dingen gebeuren die wij voor onmogelijk houden. Onlangs stond in onze krant nog een artikel waarin zowel kinderen en onderwijzend personeel gewaarschuwd worden voor zulke jongens die bij de scholen rondhangen,' legt Arie uit.

'Dat artikel heb ik gelezen, maar dat heeft toch niks met Regina te maken. Je slaat nu wel erg door.'

'Oké, jij je gelijk… maar zuivere koffie is het niet, dat weet ik wel zeker.'

'Je denkt dat ze als fotomodel voor hem werkt?'

'Dat zou kunnen… in ieder geval niet voor een net dames-blad.'

'Waarom zou ze daar dan om liegen en er met ons over praten? Ze had toch gewoon hier niet hoeven komen?'

'Dat is nou juist het gladde van zo'n vent.'

'Hoe bedoel je?'

'Hij wil dat wij ons niet ongerust maken en denken dat je dochter verkering heeft met een nette vent die in aandelen doet.'

'We moeten dan toch eens met haar praten,' zegt Thea ongerust.

Regina loopt in een drukke winkelstraat als ze een bekende jongen ziet aankomen. Ze gaat snel voor een etalage staan, maar dan voelt ze een tikje op haar schouder.

'Zo Regina… dat is een tijd geleden.'

'O… ben jij het…'

'Herken je mij nog wel?'

'Doe gewoon, man.'

'Je ziet er heel anders uit dan ik gewend ben van je,' zegt Evert.

'Mag het?'

'Van mij wel, hoor.'

Ze wil weglopen, maar Evert houdt haar staande en vraagt: 'Kunnen we niet ergens praten? Ga je nog steeds met dat ventje?'

'Ventje, daar kun jij niet aan tippen.'

'Nee, daar ben ik te gewoon voor. Je valt niet voor mij, behalve als je in moeilijkheden zit.'

'Ik weet echt niet waar je het over hebt.'

'Dat je mij zomaar in de steek hebt gelaten, dat is niet eerlijk van je. Mijn moeder heeft zoveel voor je gedaan. Ze was als een moeder voor je… zeg nou eens eerlijk…'

Regina krijgt een rood hoofd en wil verder gaan.

'Heb je zin om ergens een kopje koffie te gaan drinken en het uit te praten, dat is toch wel het minste wat je kunt doen?'

Regina kijkt wat angstig om zich heen.

'Ben je bang dat hij je met mij ziet?'

'Oké… laten we dan ergens wat drinken,' zegt ze terwijl ze snel naar de hoek van de straat loopt naar een bar.

'Vroeger gingen we overdag naar een snackbar, is dat te min voor je geworden, of ben je bang dat hij je ziet?'

'Als je zo begint, dan hoepel je maar op, man!'

'Sorry, het is al goed. We gaan daar een kop koffie drinken,' zegt Evert, die merkt dat ze er het liefst zo snel mogelijk vandoor wil.

Regina loopt naar een van de tafeltjes in een hoek. Er zitten wat mannen aan de bar die haar nakijken en een van hen zegt: 'Zo, lekker ding, kom erbij zitten.'

Regina doet net of ze niks hoort. Ze is gewend dat mannenogen niet van haar af kunnen blijven.

Evert bestelt twee koffie en gaat tegenover haar zitten.

'Je bent de Regina die ik kende niet meer, ik hoop dat je van binnen dezelfde bent gebleven,' zegt Evert ernstig.

'Je gaat toch niet voor dominee studeren of zo?'

'Nee, dat niet. Je weet dat ik geen christen ben en jij wel, als ik het goed heb.'

'Wil je daarover praten?'

'Onder andere,' zegt Evert terwijl de ober twee kopjes koffie voor hen neerzet.

'Hoe is het met je moeder?' vraagt Regina dan.

'Wat gezondheid betreft gaat het goed met haar, maar je hebt haar op het hart getrapt, Regina.'

'Je gaat wel erg ver.'

'Je weet dat ze heel veel om je gaf en je wilde helpen omdat je het zo moeilijk had met je eigen moeder. Maar je gaat zomaar bij ons weg en laat niks meer van je horen. Bij jullie thuis weten ze ook niet waar je zit.'

'Dus je bent bij ons thuis geweest?'

'Ja... ik wilde weten waar je zat.'

Toevallig ben ik van de week thuis geweest.'

'Schrokken ze niet?'

'Hoezo?'

'Nou ja... je ziet eruit als een vrouw waar mannen op vallen.'

'Is dat verkeerd?'

'Je moeder zal het niet zo leuk vinden als ze je zo ziet.'

'Evert, ik laat mij niet beledigen. Zeg op, waar wil je over praten?'

'Regina... je weet dat ik van je heb gehouden en je weet waarschijnlijk niet hoeveel pijn het kan doen, als je voor iemand anders aan de kant wordt gezet,' zegt Evert, terwijl hij haar ernstig aankijkt.

'Evert, je wist heel goed dat het niet wederzijds was.'

'Toch gingen we altijd samen uit en konden we goed met elkaar overweg. Je gaf mij je liefde die ik van je aannam en ik werd verliefd op je...'

'Nog even en we gaan janken,' zegt Regina onverschillig.

'Regina, ik meende het...'

'Ik niet, en dat wist je.'

'Waarom ging je dan zo met mij om alsof je van mij hield?'

'Gewoon... je was aardig voor mij en je moeder ook.'

'Dus toch.'

'Evert, ik heb een vriend waar ik veel van houd en ik heb samen met hem een heel ander leven opgebouwd.'

'Dat is duidelijk...'

'Je moet mij niet steeds beledigen, Evert!'

'Oké, je hebt een vriend... maar gaat het niet om zijn geld en zijn auto? Vertrouw je hem wel?'

'Waarom zou ik om het geld met hem gaan? Bij jullie had ik het ook goed. Ik houd gewoon van hem. Hij is het gewoon voor mij.'

'Houdt hij ook van jou?'

'Wat gaat jou dat aan...'

'Regina... ik zit over jou in...'

'Jij over mij inzitten, laat mij niet lachen.'

'Als je van iemand houdt, al doet die je pijn, dan wil je toch het goede voor zo iemand...'

'Wie zegt dat ik het niet goed heb... je moest eens weten.'

'Ja, je kleding spreekt duidelijke taal!'

'Dat komt door mijn werk.'

'Dus je hebt werk... het is hopelijk niet waar ik bang voor ben.'

'Ik werk in een studio voor damesbladen,' antwoordt Regina niet zonder trots.

'Mag ik weten hoe die bladen heten?'

'Dat hoor ik nog, want het moet nog geregeld worden met de uitgever.'

'Ik zou daar maar voorzichtig mee zijn.'

'Je moet niet zo slecht van mij denken.'

'Dat doe ik, omdat ik ongerust over je ben en het goede met je voor heb.'

'Zo'n lieverd ben je nou ook weer niet.'

'Hoe bedoel je?'

'Je ging de eerste de beste keer toen we 's nachts uit een bar kwamen met mij naar bed.'

'Daar heb ik spijt van… je hebt gelijk, in het begin ben ik te ver gegaan… toch kan ik niet zonder jou, Regina…' zegt Evert terwijl hij zijn hand op de hare legt.

Ze trekt hem snel terug en zegt: 'Je moet goed beseffen dat ik alleen van Ricky houd en van niemand anders en daar durf ik best voor uit te komen.'

'Dus hij heet Ricky?'

Regina staat op en zegt: 'Doe je moeder de groeten.'

Evert rekent snel af en volgt haar. Als hij naast haar loopt, vraagt hij: 'Heb je geen zin om mijn moeder te bezoeken?'

'Waarom zou ik?'

'Ze zal het erg op prijs stellen.'

Ze kijkt Evert aan en lacht.

'Geloof je mij niet?'

'Nee, dat doe ik zeker niet, je doet het voor jezelf.'

'Zou je dat dan erg vinden?'

'Je moet aanvaarden dat ik niet van je houd en ook nooit van je zou kunnen houden.'

'En wel van die Ricky?'

'Van hem houd ik echt… laat mij nu met rust. Wil je!'

'Oké…'

Evert doet net alsof hij haar laat gaan, maar op een afstand blijft hij haar toch volgen.

Ze gaat nog wat winkels in en als ze met wat tassen in een stadsbus stapt, stapt hij ook snel in en gaat hij op een plaats zitten waar zij hem niet kan zien, maar hij haar wel.

Als ze uitstapt, stapt hij ook snel uit en zorgt ervoor dat ze hem niet ziet. Ze loopt naar een flatgebouw. Hij volgt haar net zolang totdat hij weet in welk appartement zij woont. Hij prent het nummer in zijn hoofd en gaat weer terug.

In plaats van naar huis te gaan blijft hij even zitten in zijn auto die hij geparkeerd heeft bij het station.

Dan rijdt hij de stad uit naar het flatgebouw waar de ouders van Regina wonen. Hij parkeert er zijn auto en loopt naar boven.

Als hij aanbelt en de deur opengaat, schrikt Thea.

'Jij hier... is er wat met Regina gebeurd?'

'Nee hoor... u weet toch dat ze een ander heeft?'

'Dat is zo, ja... kom binnen, joh...'

Evert gaat op een van de stoelen zitten.

'Heb je zin in een kopje koffie, of liever wat fris?'

'Doe maar fris... het is zo warm vandaag.'

'Biertje of cola?'

'Graag cola... ik drink niet als ik rij.'

'Dat is verstandig.'

Als ze tegenover elkaar zitten, vertelt Evert dat hij Regina in de stad heeft ontmoet in het winkelcentrum.

'Heb je haar gesproken?'

'We hebben ergens koffiegedronken. Is het waar dat ze ook bij u thuis is geweest?'

'Ja... ze kwam samen met haar vriend.'

'Dan is het dus toch waar. Ze vertelde het mij.'

'Wat vind jij van die vriend?'

'Ze was alleen.'

'Wilde ze niet met je mee hierheen?'

'Ze wil niets meer met mij van doen hebben. Ze is verliefd op die Ricky.'

'Dat klopt... wat vind jij van mijn dochter?'

'Ze is wel wat veranderd...'

'In wat voor opzicht?'

'In haar kleding en haar manier van doen. Het is niet de Regina die ik gekend heb. Ze is kortaf en snel kwaad... ze heeft iets over zich... ik kan er geen woorden voor vinden... of laat ik zeggen dat ik die woorden liever niet gebruik.'

'Je bedoelt dat ze op de verkeerde weg is?'

'Wat is op de verkeerde weg... maar ze geeft de indruk dat ze werk doet dat gevaarlijk is voor jonge meisjes...'

'Heeft ze jou ook verteld dat ze fotomodel is?'

'Dat vertrouw ik nu juist niet... zo begint het vaak. Die Ricky zit erachter, volgens mij is hij een heel gevaarlijk heerschap.'

'Daar zijn wij ook bang voor. Arie denkt er net zo over als jij... We kunnen alleen nog bidden voor haar,' zegt Thea ernstig.

'Of dat zal helpen, betwijfel ik. Ze is helemaal in de ban van die vent.'

'We hopen dat het allemaal mee zal vallen. We zijn blij dat ze toch weer thuis komt.'

'Daar heeft u gelijk in. Het is te hopen dat ze nog vaker bij u komt en dat ze in de gaten krijgt dat die vent niet deugt en gevaarlijk is.'

'Het is geen kind meer en ze heeft thuis een goede opvoeding gehad. Jammer dat ze zich daar nu weinig aan gelegen laat liggen.'

Evert staat op, geeft Thea een hand en wenst haar veel

sterkte terwijl hij zegt: 'Als er wat misgaat met haar en u heeft hulp nodig, dan belt u mij maar gerust. Hier heeft u het adres en mijn telefoonnummer.' Hij geeft Thea zijn kaartje.

15

Op een avond gaan Regina en Ricky samen de stad in. Ze bezoeken bars en disco's. Als het al bijna nacht is en ze in de auto zitten, zegt Ricky: 'Nou ben ik helemaal mijn vriend vergeten, wat stom van mij. Het is te hopen dat hij nog in zijn studio is.'

'Bedoel je Nico?'

'Ja...'

'Wat moet je nog zo laat bij hem doen?'

'Wat regelen.'

'Gaat het over dat damesblad?'

'Inderdaad.'

'Dus het komt wel voor elkaar?'

'Zeker weten.'

Ze stoppen voor het huis waar Nico zijn studio heeft. Ze treffen het, hij is nog laat aan het werk.

'Kom binnen, jongelui,' zegt Nico die hevig naar alcohol stinkt. Ze komen in een grote kamer met een bar.

'Wat willen jullie drinken?'

'Graag een glas wijn,' antwoordt Regina.

De mannen nemen alle twee een pilsje. Als ze een tijdje gesproken hebben over de handel in aandelen, vraagt Ricky: 'Hoe zit het met die foto's van Regina?'

'Dat is oké, maak je daar geen zorgen om.'

'Dat doe ik ook niet,' antwoordt Ricky terwijl hij Regina aankijkt.

'Mag ik zien welke in dat damesblad komen?'

'Dat mag je, kind... even geduld, dan moet ik even naar mijn werkkamer om het spul te halen.'

Even later komt Nico met een grote envelop terug, gooit hem op de bar en zegt: 'Bekijk het maar rustig.'

Ricky opent de envelop en haalt er de foto's uit. Het zijn allemaal foto's waarop Regina netjes is gekleed in kleding van allerlei verschillende merken.

'Goed zeg...' zegt Regina die zich nu wat geruster voelt. 'Waar heb je die andere foto's gelaten waar ik bijna zonder kleding en zo op sta?'

'Die heb ik door de papierversnipperaar gedaan, maak je daar niet druk over,' liegt Nico.

'Waarom moesten jullie dan zulke vreselijke foto's maken, terwijl ik het er best wel moeilijk mee had?'

'Dat is nogal een technisch verhaal, maar dat heeft er mee te maken dat ik dan met behulp van de computer je kleding kan verwisselen op de foto zonder echt een nieuwe foto te hoeven maken. Er komt wat knip en plakwerk en zo bij,' legt Nico uit.

'Moet ik daarvoor per se zulke foto's laten maken?'

'Dat is alleen maar voor de eerste keer. Nu heb ik genoeg materiaal om mee te werken.'

Regina krijgt nog een glas wijn zonder dat ze erom gevraagd heeft en drinkt het leeg.

'Het is al laat en ik moet nog even naar mijn duifjes om te kijken hoe die het maken,' zegt Nico dan.

'Heb je duiven?' vraagt Regina.

'Nee... hij bedoelt vrouwen die voor hem werken.'

'Wat voor werk doen die vrouwen dan nog midden in de nacht?'

'Jullie mogen wel mee gaan kijken,' zegt Nico terwijl hij Ricky een knipoogje geeft.

'Dat kan nog wel even. We slapen morgen wel uit,' lacht Ricky tegen Regina terwijl hij haar een zoen geeft.

Ze stappen in de grote Mercedes van Nico en rijden de stad in waar ze stoppen in een smal straatje.

'Uitstappen, jongelui.'

Regina kijkt verbaasd als ze schaars geklede vrouwen voor de ramen ziet zitten.

'Wat moeten we hier doen?' vraagt Regina, nu ze merkt waar ze zijn.

'Jullie hoeven niet mee naar binnen te gaan,' zegt Nico terwijl hij vals lacht naar Ricky.

'Waarom niet? Het is toch jouw bedrijf, wij hebben hier verder niets mee te maken,' antwoordt Ricky.

'Die duifjes zijn niet allemaal van mij, hoor. Ik verhuur gewoon wat van die kamers en de dames verdienen hun geld.'

Ze gaan naar binnen en komen eerst in een smalle gang met allemaal deuren.

'Wil je kennismaken met een van de dames?' vraagt Nico terwijl hij Regina aankijkt.

'Liever niet... ik ga hier liever weg.'

'Even naar mijn kantoortje om wat te regelen. Kom maar mee. Ze komen in een kamertje met een tafel met wat stoelen. Er staat een koffiezetapparaat en een grote koelkast.

Als ze zitten en Nico wat papieren doorkijkt, komt er een meisje naar binnen. Het lijkt wel of ze een soort badpak aan heeft.

Regina kijkt onzeker naar haar.

'Hoi Nico... hé Ricky, jij ook hier. Is dat je nieuwe aanwinst?' vraagt de vrouw.

'Nee joh... dit is een vriendin van mij. Voor zulk werk is zij te goed,' antwoordt Ricky, terwijl hij de vrouw kwaad aankijkt en Nico zegt: 'Ga naar je kooi en kom niet zomaar binnenvallen.'

'Mag ik niet even een kop koffie drinken? Wist ik veel dat jullie hier zaten.'

'Oké... smeer hem nu maar voor ik je de straat op gooi.'

'Nico, doe niet zo stom, als je van mij af wilt, ga ik wel voor mijzelf werken,' antwoordt de vrouw die echt niet verlegen is.

'Dan zul je toch ergens anders een kamer moeten huren, want dan kom je er bij mij niet meer in. Begrepen?'

De vrouw geeft geen antwoord en gaat weg.

'Waarom doen die vrouwen dat en wat heb jij ermee te maken, Ricky?' vraagt Regina wat ongerust.

Voor Ricky kan antwoorden lacht Nico en zegt: ' Ach kind, ben je nog nooit in zo'n omgeving geweest?'

'Gelukkig niet,' antwoordt Regina kort.

'Eens kijken kan geen kwaad. De meisjes verdienen goed geld en waarom zou je het ze niet gunnen.?Ze hebben het hier goed en doen het graag zelfs.'

'Dat kan ik niet geloven.'

'Er zijn meisjes bij die diep in de schulden zitten of gevlucht zijn uit een land waar ze doodgaan van de honger. Hier hebben ze een goed leven.'

'Maar ze moeten dan toch met mannen...'

Opnieuw begint Nico te lachen en kijkt Ricky aan alsof hij wil zeggen: wat heb je nou opgescharreld?

'Laten we gaan,' zegt Regina terwijl ze opstaat en naar de deur loopt.

'Gaan jullie maar vast in mijn auto zitten. Hier heb je de autosleutels,' zegt Nico terwijl hij ze naar Ricky gooit die ze opvangt.

'Nog even wat controleren en wat huur vangen,' zegt Nico, terwijl hij gelijk met hen het kamertje verlaat en in een van de andere kamers verdwijnt, terwijl Regina en Ricky naar buiten lopen. Regina kijkt angstig achterom en ziet vrouwen en meisjes voor de ramen zitten. Er zijn zelfs meisjes van haar leeftijd bij.

Ze stappen in de grote Mercedes van Nico.

'Wat ben je stil?'

'Waarom heb je mij hier mee naartoe genomen?'

'Ik dacht dat je het wel leuk zou vinden zoiets te zien.'

'Wat denk je wel van mij?' antwoordt Regina kort.

'Je hoeft je niet beter te voelen dan die meisjes, hoor. De meesten moeten wel uit armoede en zitten hier ondergedoken, anders worden ze het land uitgezet. Er zijn veel buitenlandse meisjes bij en ook veel meisjes die diep in de schulden zitten en zo nog een goed leven hebben.'

'Ik zou liever honger lijden in mijn eigen land dan dat ik dit werk zou moeten doen,' antwoordt Regina.

'Je kent de achtergrond van deze meisjes niet. Er zijn erbij die kleine kinderen hebben en voor hen moeten zorgen en hier 's nachts een paar uur zitten.'

'Maak dat een ander wijs!'

'Je bent gewoon te preuts en kent het leven niet. Je bent gewoon een verwend kind,' zegt Ricky kort.

Dan gaat het portier van de Mercedes open en stapt Nico met een grote sigaar in zijn mond achter het stuur.

'Zo jongelui, alles loopt op rolletjes.'

'Jij moet je schamen, man,' zegt Regina, die een hekel krijgt aan Nico.

'Voorzichtig, kind,' zegt Nico met dichtgeknepen ogen terwijl hij haar aankijkt vanuit zijn spiegel.

'Volgens mij ben je gewoon een pooier.' Regina heeft het woord pooier gezegd voor ze het zelf beseft.

'Nou moet jij eens goed luisteren, kind,' zegt Nico terwijl hij de motor van zijn auto start.

'Ten eerste laat ik mij geen pooier noemen door een snotneus en ten tweede ben je een preuts kind en moet je nog heel wat leren in deze wereld.'

'Van jou in ieder geval niet.'

'Je wilt wel graag geld verdienen door fotomodel te zijn.'

'Dat is heel wat anders.'

'Die foto's had ik ook ergens anders voor kunnen gebruiken. Je liet jezelf ook zo goed als naakt op de foto zetten,' valt Nico uit.

'Die heb je toch wel echt vernietigd?' vraagt Regina nu wat angstig nu ze Nico echt leert kennen.

Hij stopt voor zijn huis en zegt: 'Jullie gaan even mee naar binnen... ik wil dit uitpraten, oké?' Nico, die weet wat Ricky's plannen zijn met Regina, merkt dat hij zich wat zorgen maakt.

Ze zitten opnieuw achter de bar. Regina neemt nu alleen maar een glas cola. Ze vertrouwt Nico niet meer.

'Nou, vertel eens wat er verkeerd is aan wat ik doe?' zegt Nico terwijl hij over de bar hangt met zijn grove lichaam.

'Dat weet je beter dan ik en ik heb genoeg gezien.'

'Wat heb je dan gezien, kind?'

'Jij moet mij niet steeds kind noemen!'

'Oké... oké... je bent voor mij eigenlijk nog maar een kind vergeleken bij de meisjes die daar zitten.'

'Daar heb ik niks mee te maken en het is al erg genoeg dat jullie daarvan profiteren als mannen. De politie moest de kerels oppakken die naar die vrouwen gaan.'

'Dat zie jij heel verkeerd, kind... ik bedoel dame.'

'Doe gewoon, man!' valt Regina uit, die steeds meer een hekel krijgt aan deze man met zijn pafferige lichaam en met zijn sigaar in zijn mond.

'Die meisjes oefenen gewoon hun beroep uit.'

'Noem jij dat een beroep?'

'Zeker weten.'

'Volgens mij mag het niet eens. De politie laat het alleen oogluikend toe.'

'De politie is erg tevreden over ons en over de meisje. Wist jij dat dit het oudste beroep van de wereld is?'

'Daarom is het nog niet goed te keuren.'

'Het is legaal wat de meesten van hen doen en je moest eens weten wat voor kerels hier komen. Mannen die hoge posten bekleden in onze maatschappij en er nog over durven te praten ook. Ze zeggen zelf dat het moet kunnen. De regering is het zelfs met ons eens. Er zijn vrouwen die netjes hun belasting betalen van het geld dat ze daar verdienen.'

'Maak dat een ander wijs.'

'Het is de waarheid. Het is hier in Nederland een vrij beroep geworden.'

'Heb jij dan geen geweten? Welke vrouw wil nu zo'n man en welke vader wil zo'n dochter en andersom: welke dochter wil een vader die bij dit soort vrouwen komt?'

'Je praat onzin.'

'Die meisjes werken gewoon voor jou.'

'Dat heb je mooi mis. Ik verhuur alleen een paar kamers.'

Regina kijkt Ricky aan, die al die tijd niets heeft gezegd.

'Hoe denk jij erover?' vraagt ze aan Ricky.

'Ik heb er niks mee te maken, maar moet Nico wel gelijk geven. Als die meisjes er niet waren, werden er nog meer vrouwen aangerand.'

'En vermoord,' vult Nico aan.

'Dat zal daar ook wel gebeuren.'

'Dat ze vermoord worden?'

'Ja...'

'Dat zie je verkeerd, wij zorgen voor bewaking en ze kunnen daar veilig werken.'

'Die "wij" zijn zeker van die pooiers.'

'Noem ons toch niet steeds pooiers. Het zijn nette jongens die voor de vrouwen zorgen.'

'Er zullen dan ook wel loverboys tussen die jongens zitten.'

'Wat zijn dat?' vraagt Ricky wat geschrokken.

'Dat zijn jongens die net doen of ze verliefd zijn op een meisje en als ze het meisje eenmaal ingepalmd hebben, wordt ze voor geld gedwongen om met andere mannen mee te gaan,' legt Regina uit.

'Daar heb ik nooit van gehoord,' zegt Ricky terwijl hij Nico aankijkt.

'Je ziet het helemaal verkeerd, meisje. De jongens die voor de meisjes zorgen beschermen hen juist. Er komen allerlei soorten mannen. We willen geen rotzooi en ziekten zoals aids. Dat meisje dat op mijn kantoor was is een nette vrouw en die werkt daar gewoon voor haar geld net zoals jij voor een modeblad wilt werken, laten we eerlijk wezen,' zegt Nico, terwijl hij haar strak aankijkt.

'Dat is heel wat anders. Als je dat soort foto's van mij wilt plaatsen, dan werk ik gewoon niet meer mee.'

'Nou, zulk soort foto's hebben we anders wel van je,' antwoordt Nico met een gemeen lachje.

'Je hebt ze toch wel echt vernietigd?' vraagt Regina opnieuw.

'Dat heb je toch gezien.'

'Je kunt ze achter mijn rug altijd weer gebruiken.'

'Als ik zeg dat ze door de papierversnipperaar zijn gegaan, dan is dat zo,' lacht Nico, die merkt dat ze bang is en weet dat hij haar mooi te pakken heeft. 'Maar jij hebt geen enkele reden om je te verheffen boven de vrouwen die kamers van mij huren.'

Dan lopen er tranen over Regina's wangen en draait zij zich om, terwijl ze zegt: 'Ricky, laten we gaan... ik kom hier nooit meer.'

'Ach kind, je zult er nog weleens anders over denken, onthoud dat maar goed,' zegt Nico terwijl hij hen uitlaat en Ricky een knipoogje geeft. Het is donker buiten. Regina ziet niet dat Ricky terug knipoogt.

Onderweg in de auto zegt Ricky geen woord, ook niet als ze hem vraagt waarom hij zo stil is.

Ze stoppen voor de flat van Ricky en gaan naar binnen.

Regina laat zich in een stoel vallen en begint opnieuw: 'Waarom zeg je niks... heb ik iets verkeerds gedaan?'

'Dat heb je zeker.'

'Wat dan?'

'Jij moet je niet bemoeien met andermans zaken!' valt Ricky fel uit.

'Dus jij bent het eens met die gluiperd.'

'Daar heb ik niks mee te maken en je moet Nico geen pooier en gluiperd noemen. Hij is mijn vriend.'

'Mooie vrienden heb jij...'

'Dat hij die kamers aan die vrouwen verhuurt, dat moet hij zelf weten, dat zijn zijn zaken. Kijk maar uit, als je zo doorgaat, dan gooit hij ook die andere foto's in de papierversnipperaar.'

'Maakt mij niet uit, nu ik hem goed ken vertrouw ik hem voor geen cent en ben ik bang dat hij de foto's en de films voor andere doeleinden gebruikt.'

'Je moet eens meer vertrouwen hebben in zulke jongens als Nico. Hij zorgt dat er geld op tafel komt.'

'Jij hebt hem daar toch niet voor nodig?'

'Als ik krap zit en pech heb met mijn aandelen op de beurs, dan springt hij altijd bij.'

'Dus jij zit aan hem vast?'

'Gedeeltelijk. Hij weet goed zaken te doen en ik werk graag met hem samen. Als hij mij laat vallen en zijn schuld opeist, dan kan ik het wel schudden.'

'Hoe kom je zo stom... je weet toch wat voor werk hij doet?'

'Doe nou niet zo schijnheilig. Jij liet ook foto's en films van je maken die niet mis waren.'

'Dat materiaal had hij nodig en op die manier kreeg ik een kans om fotomodel te worden voor een damesblad, daar is niks verkeerds mee. Je hebt zelf gezien dat hij er nette foto's van heeft gemaakt op de computer.'

'En je vertrouwde hem niet?'

'Dat doe ik zeker niet. Kunnen we morgen niet al die foto's en films terugvragen?'

'Zo gek is Nico niet. Je hebt een handtekening gezet onder een contract.'

'Dat moest vanwege de uitgever zodat ik toestemming geef dat hij mijn foto's mag plaatsen.'

'Toen je die handtekening plaatste, wist je toen ook welke foto's er geplaatst zouden worden?'

'Die heeft hij toch laten zien.'

Ricky lacht vals tegen haar.

'Waarom lach je zo?'

'Je bent echt nog een kind. Nico heeft wel gelijk.'

Dan loopt Regina naar de slaapkamer en laat zich op het bed vallen.

Als Ricky ook naar bed wil gaan, ziet hij dat ze nog met haar kleren aan op bed ligt en dat ze haar gezicht in het kussen heeft gedrukt. Hij denkt dat ze in slaap is gevallen en laat haar rustig liggen, totdat zij zich omdraait en vraagt: 'Ricky, houd je wel echt van mij?'

'Ik geloof het wel... maar als je zo doorgaat, dan weet ik het ook niet meer...' doet Ricky zielig.

Ze omarmt hem en snikt: 'Ricky, je moet van mij blijven houden... beloof je mij dat?'

'Het is al goed... ga nou maar slapen en probeer je in het gevolg niet meer met andermans zaken te bemoeien.'

'Maar ik ga nooit meer naar die Nico...'

'Dat zien we nog wel,' antwoordt Ricky kort, terwijl hij zich omdraait om te gaan slapen.

16

Op een avond komt Ricky pas thuis als Regina al in bed ligt. Als ze hem hoort, staat ze op en ziet hem stilletjes in een stoel zitten. Als ze vraagt waar hij geweest is, geeft hij geen antwoord.

'Wat is er met jou aan de hand? Ben je ziek of zo?'

Hij schudt zijn hoofd.

'Wat is er dan gebeurd...?'

'Laat maar zitten... het is allemaal mijn eigen schuld.'

'Wat is jouw schuld?'

'Precies... schuld ja...'

'Praat niet in raadsels en zeg wat er is.'

'Alles ben ik kwijt.'

'Wat bedoel je?'

'Mijn aandelen zijn niks meer waard.'

'Nou en?'

'Daar leven wij van.'

'Heb je dan helemaal geen geld meer... je had altijd geld genoeg.'

Ricky kijkt Regina aan en zegt zachtjes: 'Het mooie leventje is voorgoed voorbij.'

'Ik begrijp er niks van...'

'Dat komt omdat je nooit geldzorgen hebt gehad. Je hebt alles van mij gekregen en nu ik alles kwijt ben, begrijp je er nog niks van ook.'

'Je moet niet boos op mij zijn, Ricky, daar kan ik niet tegen... kan ik je ergens mee helpen?'

'Nee... ga maar naar bed en ga jij maar rustig slapen. Je hebt van alles van mij gekregen... mooie kleren, juwelen, een vakantie naar Spanje en je woont hier gratis. Je kreeg wat je hartje begeerde.'

'Maar Ricky, je hield toch zoveel van mij... dat deed je toch uit liefde?'

'Ja... uit liefde, maar daar koop ik nu niets voor.'

'Waarom doe je nou zo lelijk tegen mij... kan ik het helpen... we hebben elkaar toch nog?'

'Zonder geld hebben we niks en er is nog veel meer...'

'Wat dan?'

'Nico zit mij op de hielen.'

'Waarom? Wat heb je dan gedaan?'

'Praat niet zo dom...'

'Doe nou niet zo tegen mij, Ricky...' zegt Regina terwijl ze hem omarmt.

Hij rukt zich los en zegt: 'Nico heeft mij bedreigd. Hij moet van de week zijn geld terughebben, anders ga ik eraan.'

'Krijgt hij dan zoveel geld van je?'

'Tienduizend euro... die krijg ik binnen een week niet bij elkaar.'

'We kunnen toch met Nico gaan praten morgen?'

'Dat heb ik al gedaan... ik kom bij hem vandaan. Hij dreigde ook met die foto's van jou.'

'Welke foto's?'

'Die waar je niet zo netjes op staat. Hij wil ze aan zo'n smerig blad verkopen.'

'Dat kan toch niet waar zijn. Hij heeft die foto's en films toch vernietigd en hij zou alleen de foto's die ik goed heb gekeurd gebruiken en daar zou ik geld voor krijgen, dat pik ik niet!' zegt Regina fel.

'Doe toch niet zo dom! Hij heeft veel macht en ook over ons. Als hij wil, laat hij mij eerst een paar keer in elkaar slaan en ten slotte ga ik eraan. Nico is een gevaarlijk iemand.'

'Kunnen we dan echt niet met hem praten?'

'Als ik zonder geld bij hem kom, pakt hij mij,' antwoordt Ricky, terwijl hij Regina angstig aankijkt.

'Hij kan toch wat uitstel geven?'

'Dat is hij zeker niet van plan. Hij heeft het geld binnen een week nodig en hij weet dat ik geen cent meer bezit.'

'Zal ik dan eens met hem gaan praten?'

'Dat is te gevaarlijk en dat wil ik liever niet,' zegt Ricky met een berekenende glimlach op zijn gezicht.

'Waarom kijk je zo?'

'Hij wil dat je voor hem gaat werken.'

'Wat voor werk?'

'Doe niet zo onnozel.'

'Ik kan toch ook een baan in een winkel gaan zoeken?'

'Die paar centen die je daar verdient...'

'Als hij uitstel geeft, dan redden we het misschien.'

'Mijn auto kan ik wel verkopen, trouwens, die zal Nico wel inpikken, maar de huur kan ik ook niet meer betalen...'

'Heb je dan helemaal geen geld meer... ben je dan alles kwijt? Heb je niets achter de hand? En het geld van de aandelen dan?'

'Die aandelen had ik met Nico samen. Hij heeft alles ingepikt.'

'Wat wil je nu?'

'Ga maar naar je moeder.'

'Maar houd je dan niet meer van mij?'

'Jawel, Regina... maar zo gaat het niet meer.'

'Je laat mij toch zomaar niet gaan?'

'Wat moet ik anders?'

'Valt er dan helemaal niet met hem te praten?'

'Nee... hij gaf wel een hint, maar dat wil je toch niet...'

'Wat wil hij dan?'

'Doe nou niet zo dom… je weet best wat ik bedoel.'

'Nee, echt niet… zeg het dan, als ik je kan helpen, dan zal ik het doen… Je weet toch dat ik alles voor je overheb. Je bent altijd goed en lief voor mij geweest…'

'Wil je dan voor een keer… het is maar voor een avond en dan krijgen we geld en Nico zorgt dat je een eigen kamer krijgt…'

'Maar je bedoelt toch niet…?'

'Voor een keer maar… Nico geeft dan uitstel en je verdient er veel mee en we kunnen dan bij elkaar blijven…' Ricky legt zijn arm om Regina en fluistert: 'Ik laat je niet alleen als je daar werkt, ik blijf bij je en zal over je waken… Je hebt het zo verdiend.'

Regina rukt zich los, gaat voor hem staan en schreeuwt: 'Hoe durf je zoiets van mij te vragen… ik dacht dat je echt om mij gaf, maar je vindt het dus normaal als andere mannen mij gebruiken!'

Regina gaat naar de slaapkamer en laat Ricky alleen achter in de kamer. 'Ik heb best wat voor hem over… maar nee, dat nooit,' snikt ze.

Als ze een uur alleen op het bed heeft gelegen en terug naar de kamer gaat, ziet ze Ricky op de bank zitten met een pistool in de hand. Ze heeft dat pistool al een keer ontdekt in een lade van een kast.

Ze kijkt angstig naar hem.

'Ricky, wat ga je doen?'

Hij drukt de loop van het pistool tegen zijn hoofd en zegt: 'Dit is de beste weg… als jij mij niet wilt helpen…'

'Niet doen, Ricky…' Ze slaat het pistool uit zijn handen en snikt: 'Goed… ik zal je helpen, maar je moet wel bij mij blijven als ik… ik moet er niet aan denken… ik vind het zo moeilijk…'

'Als je het een avond doet, dan heb ik al veel geld en dan zal Nico ook niet zo ongeduldig meer zijn...'

'Maar ik weet niet hoe dat moet en zo...'

'Dat komt best in orde... ze zullen veel voor jou betalen... reken maar.'

'Maar ik kan het eigenlijk niet echt...' wil Regina terugkrabbelen als ze eraan denkt.

'Je hebt zoveel van mij gekregen... nu kun je eens wat terugdoen en dan ga je weer zo preuts doen. Wat maakt het uit? Het is maar voor één keer en dan kunnen we weer wat vooruit.'

'Maar dan heb je nog niet genoeg om Nico terug te betalen.'

'Hij zal dan niet meer zo moeilijk doen. En dan geeft hij ook die andere foto's en films terug.'

'Toch deugt die vent niet. We kunnen toch naar een andere plaats gaan, waar hij ons niet kan vinden?'

'Nico weet iedereen te vinden. Hij laat mij nu al in de gaten houden. Hij werkt in een crimineel circuit en heeft overal zijn contacten. Hij zal ons weten te vinden, zeker weten...'

'Waarom ben je eigenlijk met hem bevriend? Je verdiende toch genoeg met die aandelen op een eerlijke manier?'

'Het is allemaal gekomen door die foto's van jou. Hij vindt jou geschikt.'

'Maar ik hem niet... ik wil niks meer met hem te maken hebben.'

'Je hebt ook niks met hem te maken. Hij verhuurt alleen de kamer aan ons en ik ben bij je... het gaat alleen om het geld.'

'Dus jij laat mij gebruiken door andere mannen...?'

'Het is maar voor een dag... is dat nou zo erg en je krijgt

die foto's terug en hij geeft mij geld om weer wat aandelen te kunnen kopen zodat we weer goed geld kunnen verdienen en weer van het leven kunnen genieten. Misschien verdien ik dan wel zoveel aan die aandelen dat we een huis in het buitenland kunnen kopen en dan zijn we helemaal van Nico af.'

'Toch moet ik er een nachtje over slapen… tenminste als ik slapen kan… het lijkt mij…'

'Zeg het maar?'

'Als jij met andere meisjes zou gaan voor geld, dan had ik dat erg gevonden…'

'Maar als ik jou daarmee kon helpen, zou ik het wel doen.'

Regina haalt haar schouders op en kijkt naar het pistool dat nog op tafel ligt.

'Was je echt van plan om jezelf voor je kop te schieten?'

'Wat moet ik anders?'

'We kunnen toch vluchten naar het buitenland?'

'Heb jij daar geld voor?'

'Zal ik het aan mijn moeder vragen?'

'Je begrijpt er niks van. We staan onder druk. We moeten Nico gewoon ter wille zijn, dan helpt hij ons verder. Hij heeft veel macht in het criminele circuit en weet ons overal te vinden. Alleen als ik geen schulden meer heb en weer goed geld verdien met aandelen, kan ik los van hem komen.'

'Maar vind je het dan niet erg dat ik met andere mannen… houd je dan wel echt van mij?'

'Die vraag kan ik beter aan jou stellen. Er zijn wel meer meisjes die daar werken voor hun vriend die in moeilijkheden zit. Ze worden slapend rijk. Het geld ligt voor het oprapen. Je zult zien, dat het allemaal best meevalt en ik ben altijd dicht bij je.'

'Nee… het wil er nog steeds niet in bij mij…'

'Goed, dan niet!' zegt hij kort. Hij pakt het pistool en zegt:

'Zal ik dan laten zien hoeveel ik van jou houd?'

'Je wilt toch niet...'

'Als Nico zijn geld niet krijgt, dan ga ik er toch aan want dan heb ik geen leven meer en hij pakt jou ook met die foto's. Hij maakt er een hele serie van en zet ze op het internet en in die smerige bladen, dan schaam ik mij helemaal... nee, dat wil ik jou echt niet aandoen.'

'We kunnen ook naar de politie gaan en alles eerlijk vertellen.'

'Levensgevaarlijk! Hij zal ons weten te vinden en de politie doet niet veel tegen hem. Hij is ze veel te slim af en hij kan bewijzen dat je die foto's vrijwillig hebt laten maken door hem.'

'Voor een damesblad, maar niet voor een pornoblad.'

'Je hebt geen bewijs, hij kan het zo brengen dat je zelf schuldig bent. Haal nooit de politie bij zulke zaken, dan weet je zeker dat het met je gebeurd is...'

'Ik ga naar bed... van slapen zal wel niks komen...'

'Hier heb je wat tabletten, daar slaap je goed op en die kun je morgen ook innemen als je het doet.'

Regina neemt een paar pillen in en probeert te slapen. Het duurt nog een hele tijd voor ze in slaap valt. Ze heeft gemerkt dat Ricky eerder dan zij in slaap is gevallen. Zou hij zich echt voor zijn kop hebben geschoten... heeft ze dit voor hem over... Nee, ze moet niet aan thuis denken en zeker niet aan God... nee, ze doet het alleen om Ricky...

De volgende morgen als ze wakker wordt en Ricky nog slaapt, staat ze voorzichtig op. Ze maakt het ontbijt voor hen tweeën klaar. Als ze op een van de keukenstoelen gaat zitten en een sneetje brood probeert te eten, rent ze snel naar het toilet en moet overgeven.

Ricky wordt er wakker van en staat op. Hij ziet het bleke gezicht van Regina.

'Moest je overgeven?'

Ze geeft geen antwoord.

Ricky gaat op een van de keukenstoelen zitten en eet een paar sneetjes brood en drinkt er zwarte koffie bij.

'Moet je ook doen.'

'Wat moet ik ook doen?'

'Een beker zwarte koffie drinken bij het brood.'

'Ik kan niks naar binnen krijgen...'

'Weet je wat jij moet doen?'

'Nee?'

'Gewoon teruggaan naar je moeder of naar die andere vent en zijn moeder, dan kun je mooi weer naar school gaan of in de winkel werken en dan ga je trouwen met die vent en dan ben je pas echt gelukkig, oké?'

'Praat niet zo stom.'

'Zo is het toch. Als het erop aankomt, geef je niks om mij. Je wilt wel alles van mij hebben en lekker de hele dag winkelen van mijn centen. Nu ik in de nesten zit, laat je mij gewoon creperen.'

'Maar is er dan helemaal geen andere oplossing? Kun je niet op de bank wat geld lenen of bij andere vrienden?'

'Nee... die geven mij geen geld. Ik heb geen vast inkomen en je weet heel goed dat Nico ons overal zal vinden als hij geen geld ziet.'

Regina geeft geen antwoord. Ze voert een innerlijke strijd of ze dit wel kan doen en of ze werkelijk wel zoveel voor Ricky overheeft.

Dan neemt Ricky haar in zijn armen, legt haar op de bank en gaat op de grond voor de bank op zijn knieën zitten en zoent haar.

'Echt Regina, ik houd heel veel van je en zal je nooit in de steek laten. Als jij mij een keer helpt, dan zal ik altijd voor je zorgen. Het zal nooit meer verkeerd gaan.'

Regina heeft tranen in haar ogen en laat zich zoenen. Ze hoort zijn warme stem en ziet zijn lieve ogen die haar zo verliefd aankijken. Eigenlijk, diep in haar hart, heeft ze alles over voor deze jongen... maar dit vreselijke... nee, hier had ze niet op gerekend en ze kan geen kant op... ze zal hem zeker verliezen als ze hem niet helpt...

'Je moet je geen zorgen maken, lieverd... echt niet. Ik zorg overal voor. Het is maar voor een dag en ik kan weer een potje breken bij Nico en kan van hem weer aandelen kopen.'

'Maar hoe betaal je dan de rest van je schuld?'

'Zo is Nico... hij wil mij uitproberen en als ik niet doe wat hij zegt, dan ga ik eraan, dat wil je toch ook niet?'

'Maar ik zie er zo tegenop...'

'Je bent met je eerste vriend ook zomaar een paar keer naar bed geweest terwijl je niet eens van hem hield.'

'Toen had ik te veel gedronken, maar van jou houd ik echt.'

'Ik heb wat pillen voor je, die maken je rustig en dan voel je je veel vrijer. Je zult zien dat het allemaal erg meevalt en ik ben steeds in je buurt en ik zorg dat je klanten nette mannen zijn.'

'Moet ik mij dan ook zo kleden...?'

'Dat komt allemaal voor elkaar, daar zorg ik wel voor, maak je daar niet druk over.'

'Van wie is al die dameskleding die hier in de kast hangt die je meestal op slot hebt?' vraagt Regina dan.

'Van mijn zus, dat heb ik je toch al een keer verteld. Kom, dan mag je wat uitzoeken voor vanavond.'

'Voor vanavond... moet ik vanavond daar dan al heen?'

'Overdag is niks voor jou, dan verdien je niet zoveel. Op een avond verdien je veel meer.'

'Maar hoeft het daarna echt niet meer?'

'Natuurlijk niet, schat.'

'Wat komen er voor mannen?'

'Daar moet jij je niet druk over maken. Ik ben bij je en zorg voor goede klanten die ons goed betalen. Maak je geen zorgen.'

'Dat doe ik juist wel.'

'Als ik een meisje was en jij zat aan de grond en je vroeg mij om dit te doen, dan zou ik geen moment twijfelen. Je moet er gewoon niet te veel aan denken. Je neemt die pillen in en dan gaat er een knopje om in je hoofd en dan gaat alles vanzelf.'

'Toch blijf ik er moeite mee hebben en ben ik niet zeker van mijzelf.'

'Kom, dan gaan we naar de klerenkast en zoek je zelf maar wat kleding uit.'

Ricky pakt de sleutel en doet de klerenkast open.

Voor Regina is het niet nieuw. Toch merkt ze dat er kleding bij zit die je normaal niet draagt.

Ricky pakt wat kleding en een tas.

'Wat ga je doen?'

'Dit zal je goed staan en het is je maat.'

'Maar moet ik dat echt aan?'

'Alleen daar maar. Wil je het eerst voor de spiegel passen en kijken of het je staat?'

Zonder antwoord te geven trekt Regina de kleding aan. Als ze voor de spiegel staat in de slaapkamer, zegt Ricky: 'Je zou mij nog gek maken. Het staat je erg goed.'

'Wel erg gedurfd...'

Ze kleedt zich snel weer om.

Ricky doet de kleding in een tas en zegt: 'Ga je mee, dan gaan we in de stad wat eten.'

'En je had geen geld meer?'

'Met mijn pinpas... Ik mag ook wel een keer rood staan,' lacht hij vrolijk.

Regina kan niet lachen. Ze moet steeds naar Ricky kijken en steeds gaat die vraag opnieuw door haar heen: mag en kan ze dit wel doen omdat ze zoveel van deze jongen houdt en hem niet in de steek wil laten...

17

Als ze 's nachts thuiskomen, is Regina erg stil. Ze geeft geen antwoord als Ricky haar prijst en vertelt wat ze die avond verdiend hebben. Ze loopt voor Ricky uit de flat binnen en loopt zonder wat te zeggen regelrecht naar de badkamer om zich te douchen.

Ricky is in de kamer gaan zitten en heeft al zijn tweede pils uit de koelkast gepakt. Regina is nu al zeker drie kwartier onder de douche. Hij wacht nog een kwartier, maar dan staat hij op en doet de deur van de badkamer open, waar hij Regina op de vloer onder de douche ziet liggen. De douche staat nog steeds aan. Hij zet de douchekraan uit en pakt haar beet. Ze voelt erg slap aan. Hij geeft haar een tik op haar wang. Ze opent wat flauw haar ogen. Hij tilt haar op en draagt haar naar de slaapkamer, waar hij haar op het bed legt en het dekbed over haar heen legt.

Dan gaat hij terug naar de kamer en pakt nog een pils uit de koelkast. Hij pakt het bundeltje bankbiljetten en legt het op tafel waarbij hij mompelt: 'Het is toch ook met haar gelukt. Het heeft me heel wat moeite en tijd gekost. Ze is zeker wat oververmoeid, maar ze zal wel weer bijdraaien. Het moet gewoon doorgaan. Geen medelijden tonen.'

Hij staat op en gaat ook naar bed. Hij kijkt nog een keer naar Regina. Hij hoort dat ze rustig ademhaalt en denkt: gewoon even wennen, meisje.

Midden in de nacht slaat Regina haar ogen open. Alles draait als een film in haar hoofd voorbij: die vreselijke avond en nacht in dat kamertje. Ze voelt nog de eerste man die het kamertje binnenkwam haar beetpakken. Ze liet hem gewillig zijn gang gaan en daarna kwamen er nog een paar.

Ze staat op en kleedt zich aan. Als ze de slaapkamer uit is, gaat ze snel naar het toilet waar ze hevig over moet geven. Ze voelt zich vies en smerig, ook al heeft zij zich gedoucht.

Ze gaat in de kamer op de bank zitten. Op de tafel staan een stuk of vier lege bierblikjes. Dan ziet ze het stapeltje bankbiljetten op de tafel liggen. Dat zal het geld zijn waar zij haar lichaam voor heeft gegeven. Voor dat geld was ze te koop. Ze zal nooit meer vergeten dat ze voor de eerste keer als een beest gebruikt werd en dat zij zichzelf daarna ook een beest ging voelen. Een gewillig beest, dat zich overgeeft aan de smerige lust van mannen. Mannen die verslaafd zijn aan de seksualiteit. Hoe kon zij zover komen? Het waren beesten. Hoe kon ze Ricky zo liefhebben dat ze dit voor hem overheeft? Hoe kon hij haar dit aandoen, als hij van haar houdt zoals hij beweert?

Opnieuw kijkt ze naar het stapeltje bankbiljetten dat Ricky op tafel heeft laten liggen. Het is smerig geld, van mannen die misschien wel een vrouw en kinderen hebben en een net gezin. Hoe kan een man zijn vrouw dit aandoen en zijn gezin... hoe kan zij dit zichzelf en haar moeder aandoen als dochter uit een net gezin? Dan komt het beeld van haar vader op haar netvlies die haar zo medelijdend kon aankijken op zijn ziekbed en haar waarschuwde altijd de Heere God om raad te vragen als ze twijfelde over beslissingen die ze in haar leven zou moeten nemen. Hij, de Heere zal altijd bij je zijn, zei hij. Dan verdwijnt het beeld van haar vader die door zijn ziekte zijn ogen sluit. Zou de Heere God haar deze avond en nacht ook gezien hebben? Het lijkt allemaal zo onwaar.

Opnieuw draait de film aan haar voorbij. Nu komt ook Ricky in beeld, die haar steeds weer terugduwde in haar kamertje als ze even naar hem toe wilde komen. Hij zorgde ervoor dat er steeds een nieuwe klant kwam.

Ze heeft geen Nico gezien. Alleen Ricky was steeds bij haar in de buurt. Ricky bepaalde de prijs die ze waard was. Ze gaven haar het geld, maar zij moest het op een tafeltje leggen. Als de man weg was, pakte Ricky het geld en lachte tegen haar met een lach die ze niet van hem kende. Het leek een hele andere Ricky, een soort bewaker die steeds op haar lette en haar wat rustgevende pillen gaf, zodat ze niet te veel in opstand kwam. Het ging allemaal vanzelf. Ze kon niet meer terug, toen ze in dat kamertje met neonverlichting was. Ze zat daar zomaar in haar schamele kleren voor een raam als een artikel dat te koop was en dan kwam er weer zo'n man naar binnen. Ze moest dan de gordijnen sluiten zoals Ricky haar voorgedaan had. Ze was gewoon gehersenspoeld door een jongen die ze haar liefde had gegeven en die ze echt liefhad, zodat ze zelfs dit voor hem deed. Ze had haar lichaam verkocht aan vreemde mannen uit liefde voor hem.

Tranen lopen over haar wangen. Ze zou zichzelf… ja, wat wil ze eigenlijk… wie is zij… Ze zou het liefst weer onder de douche gaan staan en net zolang douchen totdat al het smerige van die avond en nacht van haar weg zou spoelen.

Ze had al zo lang onder de douche gestaan dat ze daar in slaap is gevallen onder het warme water dat over haar lichaam spoelde…

Hoe moet het nu verder… Ricky beloofde dat het maar voor één keer was. Maar die ene avond en nacht heeft haar hele leven veranderd. Ze hoort bij al die vrouwen die zichzelf verkopen. Zij is niks meer of minder. Ze heeft daar net als die andere vrouwen voor het raam gezeten en mannen konden haar bekijken als koopwaar.

Was dit allemaal wel echt… Ze vond het toen al zo moeilijk met die foto's, maar die kun je tenminste nog vernietigen.

Wat ze gisteravond en vannacht heeft gedaan, dat zal nooit vernietigd kunnen worden, dan zou ze zichzelf moeten vernietigen.

Het schuldgevoel wordt steeds sterker. De smerige zonden die zij tegenover God heeft gedaan met het lichaam dat zij van Hem heeft ontvangen, klagen haar aan. Ze is een prostituee... ze kon het woord nooit over haar lippen krijgen, laat staan schrijven. Als kind hadden ze er een ander woord voor. Zij is nu zelf wat ze alleen in haar gedachten kan uitspreken.

Het daglicht breekt aan. Een nieuwe dag en zelfs deze morgen komt het zonlicht door het kamerraam. De zon beschijnt ook haar door het raam. Ze denkt aan de Bijbeltekst: 'De zon zal opgaan over goeden en kwaden.' Ze voelt zich een grote zondares... ze voelt zich smerig, een beest gelijk... Die pijn, dat schuldgevoel... het is een pijn die ze heel haar leven zal moeten dragen. Ze is een mensbeest. Ze heeft mannen tot zich laten komen die haar mochten gebruiken. Ze gaf haar lichaam dat ze eens heeft ontvangen van haar Schepper. Ze heeft haar eigen lichaam laten misbruiken... Opnieuw lopen de tranen over haar wangen. Tranen als kleine pareltjes glinsteren in het zonlicht dat door het raam van de woonkamer haar beschijnt.

Hoe durft zij nog aan God te denken... ze had God al zo'n tijd niet meer nodig. Ze had immers Ricky... Ricky was een soort afgod voor haar. Hij gaf haar alles. Zijn liefde, het plezier in het leven. Ze kon alles krijgen wat ze wenste. Ricky... wat hield ze veel van hem... nee, daar kon ze God niet bij gebruiken. Nu kan God haar niet meer gebruiken. Ze heeft de ergste zonde gedaan die een vrouw kan doen.

Ze weet uit de Bijbel dat de vrouwen er vroeger voor werden gestenigd. Ze brachten zelfs een vrouw bij de Heere Jezus die in overspel gegrepen werd en vroegen Hem wat er met haar gebeuren moest. 'Wie zonder zonde is, gooie de eerste steen op haar.' De mannen gingen allemaal weg. Zij waren zelf ook zondaars. Misschien waren er wel mannen bij die net zo waren als die mannen die haar gebruikten.

Er was ook een vrouw die spijt van haar zonde had. Hij ging om met hoeren en tollenaars... met zulke slechte mensen als zij. Nu voelt zij zich zo schuldig als zij zich in heel haar leven nog nooit gevoeld heeft. Ze heeft met twee jongens geslapen. Met Evert toen ze te veel gedronken had en later met Ricky waar ze echt van hield. Ze heeft hem eerlijk opgebiecht dat ze met Evert naar bed is geweest. Ze wilde voor Ricky geen geheim hebben. Ze heeft toen geen last gehad van een schuldgevoel over haar zonden. Dat met Evert kwam door de drank en de pillen die ze gebruikte. Evert en zijn moeder waren lief voor haar. En Ricky was haar echte liefde... die liefde is nu zwaar beschadigd... haar hele leven is nu beschadigd.

Kan ze nu nog wel van Ricky houden, nu ze weet dat hij haar in een etalage te koop heeft gezet... ze weet het niet meer... hij was zo lief voor haar... totdat...

Toch zal ze een beslissing moeten nemen. Ze kan zo niet verder. Ze wil nog liever dood dan zo verder te moeten. Het leven is nu al onleefbaar geworden door de pijn van haar schuldgevoel. Ze zal nooit die smerige gedachten kwijtraken over wat er met haar lichaam is gebeurd door vreemde mensbeesten. Ze moet er niet aan denken... ze zal er kapot aan gaan als ze alles opnieuw zal moeten beleven in dat kamertje achter dat raam... nee, dat kan niet meer...

Dan ziet ze opnieuw het stapeltje bankbiljetten liggen. Ze pakt het op, loopt ermee naar het toilet en gooit het in het toilet als was het toiletpapier. Ze spoelt het smerige geld van die avond door het toilet. Dit geld dat ze door haar lichaam te geven aan mannen heeft verdiend zal ze nooit gebruiken. Het hoort in het riool thuis, zoals al de ongerechtigheden van het lichaam van een mens in het riool verdwijnen. Hoort zij daar zelf ook niet bij? Ze moet niet denken dat ze, als ze dat geld wegspoelt in het riool, zelf schoon is... ze hoort zelf weggespoeld te worden door het riool.

Ze gaat voor de spiegel staan en kijkt naar haar spiegelbeeld. Wie is zij eigenlijk? Ze ziet dat ze dezelfde kleding aan heeft als die ze gisteravond heeft aangetrokken en bij al die mannen heeft gedragen om hen te verleiden. Ze rukt de kleren van haar lijf en gooit ze in een hoek. Ze gaat opnieuw onder de douche staan om zich af te spoelen, maar ze blijft zich smerig voelen, hoe lang ze ook onder de douche staat. Deze smerigheid, die in haar ziel zit, is niet meer weg te spoelen met water.

Ricky wordt wakker en merkt dat het al tegen negen uur is. Hij kijkt naast zich en ziet dat Regina al uit bed is. Hij kleedt zich snel aan en hoort dat de douche loopt. Hij heeft haar vannacht toch ook al onder de douche weggehaald? Ze was toen in slaap gevallen. Zou ze wat in de war zijn... Nou ja, hij mag blij zijn dat ze er na gisteravond zo goed aan toe is, dat ze uit zichzelf weer is opgestaan en zich weer goed voelt. Hij zat er wel over in dat ze een soort inzinking kreeg. Ze wilde er na elke klant mee ophouden. Toch kreeg hij haar steeds weer zover. Toen ze thuiskwamen was ze ook niet erg te spreken. Ze zal wel beter meewerken als ze al het geld ziet dat ze verdiend hebben. Dat geld moet hij zelf in handen houden en hij moet haar goed inprenten dat ze zonder hem geen cent kan verdienen, dat al het geld hem toekomt en dat hij voor haar zal zorgen. Ze zal in het vervolg wel wat gewilliger moeten worden. Hij kan haar niet na elke klant weer terugbrengen naar het kamertje achter het raam.

Wat duurt het lang… hij wil zich ook douchen en scheren.

Ricky loopt naar de badkamer, tikt op de deur en roept: 'Alles oké?'

Hij krijgt geen antwoord. Hij hoort het water stromen. Hij ziet door het scherm dat ze nog onder de douche staat.

'Wil je wat opschieten… ik wil mij ook nog douchen en scheren.'

Opnieuw krijgt hij geen antwoord. Hij loopt naar de keuken en smeert een paar sneetjes brood, ook voor Regina. Hij moet wel lief voor haar blijven. Als het zo niet lukt, dan zal hij uit een ander vaatje moeten tappen, piekert Ricky terwijl hij achter de keukentafel zijn ontbijt eet.

Ricky voelt in zijn broekzakken en schrikt even, maar als hij in de kamer de lege blikjes bier ziet staan, dan herinnert hij zich dat hij het geld op tafel heeft laten liggen toen hij naar bed ging.

Stom van hem. Ze heeft natuurlijk dat geld na zitten tellen en er misschien een paar honderd euro van weggepikt.

Hij staat op en loopt naar de tafel, maar merkt al snel dat het geld er niet meer ligt. Hij gaat twijfelen aan zichzelf. Nee, ik weet het zeker… ik heb het op tafel laten liggen toen ik het geteld had. Zou zij het geld… zou ze het verstopt hebben en denken dat het van haar is? Zo stom zal ze toch niet zijn? Hij hoort de deur van de badkamer opengaan. Ze loopt zonder wat tegen hem te zeggen naar de kledingkast in de slaapkamer en gaat zich aankleden. Hij gaat op de bank zitten en wacht tot ze terugkomt.

Als Regina zonder wat te zeggen naar de keuken loopt, vraagt hij: 'Heb jij dat geld hier weggehaald?'

Ze geeft geen antwoord en drinkt een beker melk. In brood heeft ze geen zin.

'Ben je doof?' schreeuwt Ricky vanuit de kamer.

Ze antwoordt niet.

Hij staat op en loopt naar de keuken en pakt haar bij haar kin en zegt: 'Kijk mij aan!'

Regina kijkt hem onverschillig aan.

'Waar heb je dat geld gelaten?!'

'Welk geld?'

'Dat daar op tafel lag.'

'Dat gaat je niet aan.'

'O nee… wie denk jij wel dat je bent!' schreeuwt Ricky woest.

'Dat zou ik weleens uit jouw mond willen horen,' antwoordt Regina terwijl ze zijn hand wegslaat.

'Zeg op… waar is dat geld?!'

'Van wie is dat geld?' vraagt Regina rustig.

'Dat weet je heel goed. Kom op met dat geld!'

'Dat geld was van mij en als je geld wilt, dan moet je dat eerlijk verdienen,' antwoordt Regina koel.

Hij geeft haar een klap recht in het gezicht en schreeuwt: 'Zeg op, waar is het geld?'

Regina voelt haar wang branden en loopt naar de kamer. Hij pakt haar bij de arm en schreeuwt opnieuw: 'Kom op met dat geld! Anders ga ik je verbouwen!'

Nu draait Regina zich om, kijkt hem fel aan en schreeuwt terug: 'Smerige pooier die je bent!'

Even schrikt Ricky van haar drift en grote mond.

'Je weet niet wat je zegt. Wees dankbaar dat ik altijd zo goed voor je ben geweest. Je hebt een lui leventje bij mij gehad en dan moet jij mij pooier noemen?'

'Dat had ik gisteravond gelijk moeten doen… nu is het te laat. Je hebt mij met al je leugens zover gekregen dat ik mijzelf kapot heb gemaakt. Je hebt geen gevoel in je. Je weet niet wat liefde is. Je hebt mij kapotgemaakt… hoe kon je zo ver gaan? Had mij met rust gelaten… je hebt mij misbruikt.'

Ricky die in de gaten heeft dat Regina hem door heeft en bang is dat ze ervandoor gaat, weet dat hij met zijn liefde nu niets meer kan bereiken. Hij heeft echter te veel in haar geïnvesteerd en kan haar nu niet zomaar laten gaan. Ze zal meer geld op moeten brengen. Hij pakt haar bij de armen en drukt haar tegen de muur en zegt zachtjes met een felle blik in zijn ogen: 'Luister goed. Jij werkt voor mij en ik duld geen tegenspraak. Je zult eerst geld voor mij gaan verdienen!'

'Ik ga hier weg…' zegt Regina angstig terwijl ze zich los wil rukken. Nu drukt hij haar hoofd stevig tegen de muur en zegt: 'Waar is dat geld?!'

'In het riool, waar het thuishoort. Ik heb het door het toilet gespoeld.'

Ricky raakt nu buiten zinnen. Hij slaat haar een paar keer in het gezicht en pakt haar stevig beet, bindt haar armen met een touw op haar rug en duwt haar in een van de kledingkasten en zucht: 'Wat stom dat ik dat geld op tafel heb laten liggen. Die stomme griet heeft het zomaar weggespoeld door het riool, als het tenminste waar is wat ze zegt en anders kom ik er wel achter waar ze het verstopt heeft.'

18

Al een tijdje zit Evert in zijn auto op het parkeerterrein dicht bij de flat van Ricky van waaruit hij zijn woning in de gaten houdt. Hij wacht tot Ricky alleen naar buiten zal komen en alleen weg zal gaan. Ricky moet nog in de flat zijn, want zijn sportwagen staat nog op het parkeerterrein hier dicht bij hem. Nee, hij is hier niet om Ricky te ontmoeten, daar heeft hij geen zin in. Die jongen lijkt hem te gevaarlijk. Als Ricky weggaat, dan wil hij met Regina praten. Het is zijn enige kans om haar te spreken te krijgen. Hij kan haar nergens meer bereiken; ze is van de wereld afgesloten. Hij heeft hier al vaak gestaan. Nooit ziet hij Regina uit de flat komen. Weleens samen met Ricky, maar dan houdt hij zich liever schuil. Hij wil nog een keer met Regina praten. Ook al weet hij dat ze niks om hem geeft, toch verlangt hij haar te zien. Zijn liefde voor haar kan hij niet doven. Het blijft als een vuur branden in hem. Hij verlangt naar haar en kan geen ander meisje meer liefhebben sinds hij haar lief heeft gekregen. Ze heeft hem vaak genoeg laten merken dat ze niet echt van hem kan houden.

Zijn moeder heeft hem al vaak genoeg gewaarschuwd. 'Je moet haar vergeten, het gaat zo niet goed met je. Denk niet meer aan haar. Ze is nu eenmaal niet bestemd voor jou. Zij voelt voor jou niet dezelfde liefde, die jij voor haar voelt. Denk aan jezelf en je studie en je stage in het ziekenhuis.'

Toch kan hij het niet laten. Nu is hij vanavond weer op pad gegaan. Misschien vangt hij een glimp van haar op en kan hij haar ontmoeten of spreken. Hij krijgt bijna geen kans om haar een keer te ontmoeten.

In het begin, toen ze pas met die Ricky ging, lukte het nog weleens haar te ontmoeten. Ze wilde niks meer met hem te maken hebben. De laatste keer heeft hij haar gesproken in een café en toen heeft ze duidelijk aangegeven dat ze niks meer met hem en zijn moeder te maken wilde hebben en dat hij haar met rust moest laten. Ze had het gemaakt met die Ricky. Het was de Regina van vroeger niet meer. Ze was gekleed in een kort rokje en was erg opgemaakt. Het was eigenlijk zijn type niet meer, maar onder dat alles ziet hij de Regina die hij liefheeft. Hij wil het haar nog een keer vertellen en zeggen dat hij alles voor haar overheeft. Diep in zijn hart weet hij, dat hij haar nooit meer terug zal krijgen. Ze heeft nooit echt van hem gehouden en dat heeft ze hem ook proberen aan het verstand te brengen, maar liefde luistert niet altijd naar het verstand. Zijn liefde is iets wat een ander met het verstand niet vatten kan. Kon hij haar maar los laten.

Zijn moeder zegt vaak: 'Laat je verstand werken en denk nuchter' en zijn moeder kan erover meepraten. Zij heeft ook een man lief die een andere vrouw boven haar verkoos en haar in de steek liet. Hij kan niet van zo'n vader houden die zijn eigen moeder aan de kant zette voor een andere vrouw. Toch kent zijn moeder niet de haatgevoelens zoals hij die tegen zijn vader heeft. Hij heeft hetzelfde gevoel voor Regina als zijn moeder voor haar man; alleen, zijn moeder heeft het aanvaard en dat kan hij niet. Wie kan nou van een meisje houden dat van een ander houdt, een jongen die erg knap is en waar ze van alles van krijgt? Ze heeft die Ricky erg lief. Hij heeft het uit haar eigen mond moeten horen. Hij moet haar loslaten, zoals zijn moeder haar man heeft losgelaten en het aanvaard heeft. Liefde kun je niet dwingen... hij weet het heel goed, maar zal het nooit aanvaarden.

Liefde kun je ook niet zelf blussen. Het kan in je branden

en je pijn doen als je weet dat jij je niet aan die liefde mag warmen. Hij kan er zelf niks aan doen, het is hem overkomen. Liefde kun je zelf niet maken. Liefde overkomt je en neemt je in beslag. Het kan werken als een verslavend middel, je kunt er niet meer van loskomen, het houdt je in de ban van jouw liefde tot die ander.

Waarom zit hij hier de hele avond in de auto te wachten? Ze zal hem toch afwijzen als hij bij haar aan de deur komt. Het is al laat. Ze zullen nu niet meer uitgaan, in ieder geval Ricky niet alleen. Als ze nu uitgaan, dan gaan ze samen naar een bar of een disco en dan zit hij hier de hele avond weer voor niks. Hij kan haar alleen maar naar de auto zien lopen samen met die Ricky. Hij heeft niet eens een foto van haar. Bij haar ouders durft hij ook niet meer te komen. Hij heeft gehoord dat ze daar samen met Ricky komt, dus het is menens met hen.

Als Evert zo zit te piekeren en denkt dat het tijd wordt om naar huis te gaan, dan gaat plotseling de deur van de flat open en verschijnen ze alle twee. Everts hart gaat sneller kloppen en zijn handen worden klam.

Als ze naar de sportwagen lopen, ziet hij iets vreemds aan die twee. Het lijkt of Ricky haar aan haar arm stevig vasthoudt, tegen haar zin. Ze mag ook niet naast hem zitten. Hij duwt haar achter in zijn sportwagen en doet de deur op slot. Hij start de motor van zijn wagen en rijdt snel weg.

Snel start Evert de motor van zijn auto en volgt de wagen van Ricky op een afstand. Hij voelt dat er iets niet goed is tussen die twee... ze kunnen wel ruzie hebben, want ze liepen zo vreemd, alsof Regina niet mee wilde... het was vreemd om aan te zien.

Op een afstand blijf hij hen volgen door de stad.

Ricky houdt zich niet aan de snelheidsvoorschriften en

scheurt door de straten, hij moet zijn best doen om hem te volgen. Soms hoort hij de banden van de sportwagen door de bochten gieren.

Hij raakt hem bijna een keer kwijt, als hij stoppen moet voor een stoplicht dat op rood staat, waar Ricky gewoon doorrijdt.

Die vent lijkt echt gek… waarom zou hij zo over de weg scheuren? Hij lijkt wel bezeten. Zou hij wat in de zin hebben? Het bevalt hem niet als hij denkt hoe Ricky Regina vasthield en haar in de auto duwde.

Daar had hij bijna een aanrijding… als dit maar goed gaat. Als er een politiewagen aan zou komen, dan is hij er gloeiend bij.

Zou hij in de gaten hebben dat hij hem volgt en rijdt hij daarom zo… nee, dat kan haast niet, want hij blijft op een behoorlijke afstand van hem.

Dan rijden ze door een paar smalle straatjes. Het is eenrichtingverkeer. Hier moet hij goed opletten, wil hij hem niet kwijt raken. Ook in deze steegjes geeft Ricky vol gas en vliegt hij met gierende banden door de bochten. Dan ineens is de sportwagen in het niets opgelost. Hij heeft een te grote afstand gehouden en is hem kwijtgeraakt.

Evert rijdt langzaam en kijkt alle zijstraatjes in of hij ergens de blauwe sportwagen ziet. Nee, nergens te bekennen.

Hij rijdt wat straatjes door.

Als Evert het wil opgeven, ziet hij ineens op een klein parkeerterrein de blauwe sportwagen staan. Het is niet zo'n beste buurt, deze straat. Er zitten hier veel vrouwen die zich willen verkopen voor de ramen. Hier voelt Evert zich niet op zijn gemak, en hij vraagt zich af wat die auto van Ricky hier moet.

Evert stopt wat verderop en blijft in de auto zitten. Waar zouden ze zijn? Hier komen alleen mannen. Als Ricky nu alleen was, dan kon hij het nog begrijpen, maar met Regina erbij? Nee... hij wil niet denken aan wat er door zijn hoofd gaat. Dat mag niet en het kan niet... nooit zal zij dat doen...

Toch stapt Evert uit zijn auto en loopt naar de straat met de ramen die verlicht zijn met neonlicht. Hij is hier nooit eerder geweest. Hij heeft er veel van gehoord op school en in het ziekenhuis waar hij stage loopt. Nooit zal hij hierheen gaan. Hij vindt het erg als mannen naar vrouwen gaan die zich verkopen als een artikel in een etalage. Het is het minste wat een vrouw kan doen. Hij heeft vaak genoeg gehoord dat meisjes uit het buitenland hierheen gehaald worden en zonder dat ze het wisten dergelijk werk moeten doen. En je hebt ook nog de loverboys en hun meisjes die hier een plaatsje krijgen om geld voor hen te verdienen. Of het allemaal waar is, daar heeft hij zich nooit in verdiept. Toch zullen de meeste vrouwen hier wel vrijwillig zitten. Ze kunnen meisjes toch nooit tot zoiets dwingen. Het zou pure slavernij zijn, nee, dat wil er bij hem niet in. Dat zijn allemaal wilde verhalen.

Voor hij het goed beseft loopt hij al langs een van de ramen. Een nog jong meisje lacht uitdagend naar hem. Het bloed stijgt uit schaamte naar zijn hoofd. Hij wil snel omkeren, maar zijn benen willen niet, als hij ineens in de ogen van een meisje met lang blond haar kijkt. Ze kijkt hem verbaasd aan. Het is alsof hij door de grond gaat en zachtjes zegt hij: 'Regina... nee Regina...' Het meisje slaat haar ogen neer, loopt naar het raam en sluit de gordijnen.

Evert staat als aan de grond genageld. Dan is hij weer terug in de werkelijkheid en rent terug naar zijn auto. Hij laat zich in de stoel vallen, maar is even niet in staat om zijn auto te starten. Hij legt zijn armen op het stuur en steunt er met zijn hoofd op. Zijn ogen staan vol tranen en steeds ziet hij dat meisje. Het beeld zit vast op zijn netvlies en hij zegt opnieuw in zichzelf: 'Regina… nee, dat mag niet, Regina…'

Dan wordt het portier van zijn auto opengerukt en grijpt iemand hem bij zijn arm en trekt hem uit de auto. Een stem roept fel: 'Jij smerige gluiperd!'

Gelijk krijgt hij een paar stompen in zijn gezicht. Het zijn twee mannen die hem in elkaar slaan. Hij probeert zich te beschermen door zijn armen voor zijn gezicht te houden.

Als de twee mannen weg zijn, ligt hij op de grond. Voorzichtig kruipt hij overeind. Alles doet hem pijn, vooral zijn gezicht doet pijn. Hij kruipt terug in zijn auto. Zijn hoofd bonkt. Hij voelt aan zijn hoofd en ziet dat zijn handen onder het bloed zitten. Hij begrijpt dat hij hier zo snel mogelijk weg moet. Niemand mag hem in deze buurt vinden.

Hij start voorzichtig de motor van zijn auto en hij rijdt langzaam weg. Hij heeft moeite om zijn auto op de weg te houden, zijn ogen zitten half dicht en het bloed loopt langs zijn gezicht.

Een paar straten verderop stopt hij echter. Zo kan hij niet verder rijden. Hij pakt voorzichtig zijn mobiel en toetst het nummer van zijn moeder in. Het duurt een tijdje voor er wordt opgenomen.

'Ja… met Elly Vonders?'

'Met mij, ma…'

'Wat is er, jongen?'

'Ik… kun je hierheen komen…'

'Zeg dan wat er aan de hand is… waar zit je…?'

'Ik kan zelf niet meer rijden…'

'Waar ben je dan?'

'In mijn auto… bij het park Nero…'

'Daar helemaal... voel jij je niet goed... wat is er dan gebeurd... Zal ik de politie eerst bellen voor ik naar je toe kom?'

'Nee, geen politie... kom nou maar...'

'Goed... wat is er gebeurd?'

'Niks... kom nou... zeur niet zo... ik kan zelf niet rijden...'

'Heb je pijn?'

'Nee ma...'

'Ik kom eraan... dus bij het Nero-park, wat moet je daar helemaal doen... nou ja... ik kom eraan.'

Elly lag al in bed. Haar zoon komt wel vaker laat thuis. Ze kleedt zich snel aan en weet niet wat ze ervan moet denken. Is Evert niet goed geworden, of heeft hij een ongeluk gehad...

Als ze haar jas van de kapstok pakt en haar autosleutels pakt, vergeet ze haar schoenen aan te doen... ze is helemaal in de war. Met veel moeite krijgt ze haar auto uit de garage. Het zweet staat dik op haar gezicht. Ze was al in slaap gevallen en dan ineens dit. Ze hoort nog steeds die angstige stem van haar zoon. Wat zal hem toch overkomen zijn? Hij zat nog in zijn auto in ieder geval.

Ze moet goed op het verkeer letten, al is het zo laat niet meer zo druk op de weg. Ze weet de weg wel zo ongeveer. Er is daar veel eenrichtingsverkeer, maar daar let ze niet zo op.

Wat moet haar jongen daar in die buurt bij het Nero-park, dat is niet veel bijzonders wat daar zit... piekert Elly.

Als zij de straat inrijdt naast het park, moet ze even zoeken waar de auto van haar zoon staat geparkeerd. Er staan meer auto's van mannen die naar de vrouwen gaan en het ervoor overhebben een stuk te lopen zodat zij niet worden herkend.

Als zij de auto van haar zoon ziet staan, parkeert ze haar auto achter die van hem en loopt snel naar hem toe. Ze doet het portier open en ziet dat hij onder het bloed zit.

'Wat is er toch gebeurd, jongen?'

Evert schrikt wakker. Hij was weggezakt door die vreselijke klappen die hij heeft gekregen.

'Dat... dat vertel ik thuis wel...' antwoordt Evert.

'Kom maar in mijn auto... kun je er zelf uit komen?'

Voorzichtig kruipt Evert uit zijn auto en loopt naar de auto van zijn moeder.

'Geef mij de sleutels van je auto maar,' zegt Elly.

'Die zitten er nog in...' kreunt Evert als hij in de auto van zijn moeder zit.

Elly heeft de auto van Evert afgesloten en gaat achter het stuur van haar eigen auto zitten. Ze kijkt naar haar zoon die naast haar zit met zijn hoofd voorover.

'Gaat het, jongen?'

'Ja... rij nou maar...'

'Zal ik naar het ziekenhuis rijden?'

'Nee...'

'Waarom niet?'

'Daar zullen ze vragen stellen...'

'Wat heb je dan uitgehaald?'

'Rij nou maar, voor er nog meer tuig komt.'

'Oké...'

Elly rijdt langzaam weg.

'Dus ze hebben je in elkaar geslagen?'

Nu ze rijden en Evert zich wat veiliger voelt, sluit hij zijn ogen en geeft geen antwoord.

'Evert, vertel alsjeblieft wat er gebeurd is, jongen... je ziet er echt niet uit... we kunnen beter eerst naar het ziekenhuis gaan...'

Evert schudt zijn hoofd en zegt zachtjes: 'Rij nou maar naar huis.'

Elly kijkt een beetje angstig naar haar zoon, die af en toe wegraakt.

Ze zet haar auto voor de voordeur. Voorzichtig doet ze het portier open en vraagt: 'Kun je zelf uit de auto komen?'

Hij strompelt naar binnen en laat zich op de eerste de beste stoel vallen.

Elly pakt een nat washandje, een handdoek en de verband-trommel. Ze heeft een EHBO-diploma en ze weet hoe ze met wonden om moet gaan.

Zijn gezicht is behoorlijk beschadigd. Voorzichtig maakt ze de wonden schoon en doet er hier en daar een pleister op en verband om.

'Heb je verder op je lichaam geen wonden?'

'Alles doet pijn…'

'Wat is er gebeurd, Evert?'

Dan vertelt Evert in het kort wat hem is overkomen. Zijn moeder ziet dat er tranen over zijn gehavende gezicht lopen en heeft medelijden met haar jongen, maar kan niet begrij-pen waarom hij zover moest gaan.

'Weet je wel zeker dat het Regina was?'

Evert knikt alleen maar.

'Kende je die mannen die je in elkaar sloegen?'

'Een van hen was een grote grove man en die ander leek veel op Ricky.'

'Dus je zag haar zitten en toen sloot zij de gordijnen en stuurde die mannen op je af?'

'Ze schrok, net als ik… ze zag er beroerd uit… er is iets aan de hand met haar. Dit kan gewoon niet waar zijn. Zoiets doet Regina zomaar niet. Die Ricky zit daarachter.'

Elly geeft daar geen antwoord op. Ze zegt alleen: 'Het is

te hopen dat jij je lesje nu geleerd hebt en ik hoop echt dat je haar nu eindelijk uit je hoofd zet.'

'Ach ma… u begrijpt het allemaal niet.'

'Dat zal ik ook nooit begrijpen.'

'We moeten haar helpen, ma… ze zit daar niet voor niks.'

'Nee, dat zal zeker niet, ze zal het niet voor niks doen. Ze wil met haar vriendje makkelijk en snel veel geld verdienen en jij hebt medelijden met haar. Je gaat nu meteen naar bed en morgen meld ik je ziek… met zo'n gezicht kun je niet in het ziekenhuis verschijnen.'

19

Die avond, als Regina opnieuw gedwongen wordt om achter het raam te gaan zitten om mannen te lokken, kijkt zij in de ogen van Evert die haar verbaasd aankijkt.

Ze raakt in de war en trekt snel de gordijnen dicht. Ricky, die haar steeds in de gaten houdt, merkt het en vraagt: 'Waarom sluit jij de gordijnen zonder dat je een klant hebt?'

Ze geeft geen antwoord, maar huilt. Ricky rukt het gordijn open en ziet nog net Evert wegrennen. Hij geeft Nico een teken en samen rennen ze achter Evert aan.

Regina ziet de twee mannen naar het parkeerterrein lopen.

Dit is haar kans om ervandoor te gaan. Ze trekt snel haar jas aan en wil weggaan. Een van de wat oudere vrouwen vraagt: 'Je gaat toch niet tippelen, dom kind?'

'Gaat je niks aan,' antwoordt Regina kort. De vrouw gaat breed voor de deur staan en vraagt opnieuw: 'Waar ga je heen? Weet Ricky hiervan?'

'Ik heb niks met Ricky te maken.'

'Maar ik wel,' zegt de vrouw met een gemeen lachje.

'Ga aan de kant, wijf!' schreeuwt Regina.

'Terug naar je kamer jij!' zegt de vrouw terwijl ze Regina bij haar arm pakt. Regina slaat wild van zich af, maar de vrouw is wel meer gewend en draait haar arm om en sleept haar naar haar kamer.

'Ga zitten jij!'

Regina laat zich op de grond vallen. De vrouw doet snel de gordijnen dicht. Voor de klanten is dit niet goed om te zien.

Dan staat Ricky voor de deur. Hij kijkt de vrouw aan en vraagt wat er aan de hand is, als hij Regina op de grond ziet liggen.

'Ze wou ervandoor gaan toen jullie achter die vent aanzaten.'

Ricky kijkt haar aan en schreeuwt: 'Opstaan en snel!'

Regina staat op en haar angst maakt plaats voor een vreselijke woedeaanval.

Ze vliegt Ricky aan, krabt hem over het gezicht en schreeuwt: 'Jij smerige pooier, ik vermoord je!'

Ze is helemaal over haar toeren. Ricky weet in het begin niet wat hem overkomt, maar als hij met zijn hand over zijn gezicht gaat en bloed aan zijn hand ziet, grijpt hij haar beet en smijt haar door de kamer. Hij slaat haar waar hij haar maar raken kan.

De vrouw die toekijkt bij de deur heeft in de gaten dat het zo fout gaat. Als Ricky zo doorgaat, dan vermoordt hij haar.

Ze komt tussenbeide als Ricky opnieuw Regina beetpakt.

'Stop Ricky... Ricky, je gaat te ver.'

Ricky laat haar los, Regina valt als een vaatdoek op de grond en is buiten westen.

'Leeft ze nog?' vraagt de vrouw angstig, terwijl ze zich over Regina buigt en haar pols voelt.

'Wat maakt het uit?' schreeuwt Ricky.

'We moeten hier geen moordpartij hebben,' zegt de vrouw die hier ook wat te zeggen heeft in dit gebouw, samen met Nico haar vriend.

Ze roept snel Nico erbij. Hij ziet Regina als dood op de grond liggen.

'Wat heb je nou gedaan, man?' vraagt hij aan Ricky.

'Het werd tijd dat ze een pak slaag kreeg.'

'Oké... een pak slaag, maar volgens mij heb je haar vermoord, man... ze geeft geen teken van leven meer.'

'Overdrijf niet zo,' zegt Ricky, terwijl hij een schop geeft tegen het lichaam van Regina.

'Ze is dood, man... we moeten haar hier weg zien te krijgen.'

Ricky kijkt Nico en zijn vriendin aan en trekt wit weg. Hij bukt zich over het lichaam van Regina en merkt dat ze vreemd stil blijft liggen als hij haar aanraakt.

'Ze moet hier zo snel mogelijk weg!' zegt Nico kort.

'Hou jij hier de boel in de gaten... we moeten nu geen pottenkijkers hebben,' zegt Nico tegen zijn vriendin.

Nico rent snel naar zijn auto die achter het gebouw staat. Als hij terug is, zegt hij tegen Ricky die nog steeds op een stoel zit en naar het levenloze lichaam van Regina kijkt: 'Je moet even flink zijn, Ricky. Pak jij haar bij de benen... ik heb mijn auto achter bij de nooduitgang staan.'

'Wat... wat wil je met haar?'

'Geen vragen stellen, help mij nou maar,' antwoordt Nico kort.

Ricky pakt Regina bij haar benen en helpt Nico haar naar de achteruitgang dragen. Ze duwen haar achter in de kofferbak van Nico's auto en leggen een deken over haar heen.

'Kom op, we moeten haar zo snel mogelijk kwijt zien te raken.'

'Maar ze is niet echt dood... dat kan niet...'

'Praat niet zo stom, man... je bent te ver gegaan!'

'Dat kan niet...'

Nico duwt Ricky in zijn auto en start de motor.

'Waar ga je naartoe?'

'Dat zie je vanzelf wel,' antwoordt Nico terwijl hij snel weg rijdt.

Ze rijden een oud industrieterrein op, waar nooit iemand komt. Er staat een oude fabriek met lege hallen. De deuren hangen los in de kozijnen. De ramen zitten er allang niet meer in.

Nico rijdt de auto achteruit een van de hallen in.

'We leggen haar hier neer... ze denken dan dat een van die drugsgebruikers die hier 's nachts rondhangen haar heeft vermoord,' legt Nico uit.

'Maar als ze ons zien?'

'Die lui pitten en horen niks... help mij liever!'

Ze halen het lichaam van Regina uit de kofferbak en leggen het langs de muur in de hal. Ze leggen de deken eroverheen. Nico kijkt snel om zich heen.

'Niemand te zien... kom op, wegwezen...'

Ricky blijft nog even staan en kijkt naar de deken waar Regina onder ligt.

Nico pakt hem beet en duwt hem in zijn auto en rijdt snel de loods uit.

'Wegwezen... er kraait geen haan naar.'

'Maar... maar weet je wel zeker dat ze dood is...?'

'Doe niet zo onnozel, man. Je hebt haar doodgeslagen... stommerd die je bent.'

'Maar ik sloeg haar alleen maar.'

'Als je iemand een pak rammel geeft, dan moet je wel uitkijken waar je hem raakt. Je hebt haar te vaak op het hoofd geslagen en getrapt.'

'Dat hebben we die vent vanavond toch ook gedaan.'

'Dat was wat anders. Ik weet hoe ik iemand in elkaar moet slaan, maar jij weet niet meer wat je doet. Blijf in het vervolg van die meiden af. Als er wat aan de hand is, dan laat je mij dat regelen.'

'Maar Regina is van mij. Jij hebt niks met haar te maken.'

'Nog een grote mond ook. Ik had ook de politie kunnen waarschuwen dat je haar vermoord hebt.'

'Het was mijn bedoeling niet om haar... weet je wel zeker dat ze dood is?'

'Daar praten we niet meer over…'

'Maar die vent?'

'Je bedoelt die vriend van haar die we een pak slaag hebben gegeven?'

'Ja…'

'Hoe heet die vent?'

'Evert, hij kwam bij haar kijken… hij kan ons verraden. Hij heeft haar hier gezien en zal haar gaan zoeken,' zegt Ricky wat angstig.

'Dan krijgt hij mooi zelf de schuld. As hij haar opnieuw zoekt, dan weten wij wel wat te vinden om de rollen om te draaien, zodat het lijkt of hij haar vermoord heeft,' legt Nico uit.

'Nee… ik heb het gedaan… toch geloof ik het niet…'

'Wat geloof jij niet?'

'Dat ze echt dood is.'

'Mijn vriendin heeft haar onderzocht en die weet snel genoeg wie dood of levend is,' antwoordt Nico.

'Wat moet ik nou verder?'

'Gewoon doorgaan met ademhalen,' antwoordt Nico onverschillig.

'Jij hebt makkelijk praten.'

'Die foto's van haar zal ik ook zo snel mogelijk verbranden. We rijden nu naar mijn huis en regelen daar alles. Ze zullen haar morgenvroeg daar wel vinden en dan moeten al de sporen weg zijn.'

Ze rijden naar het huis van Nico. Onderweg belt hij zijn vriendin, die verder alles regelt met de andere meisjes, die hun werk doen en doen alsof er die avond niks is gebeurd.

Nico rijdt zijn garage in en doet het licht aan.

'Even kijken of er geen sporen in mijn auto zitten,' zegt Nico.

'Zie je wel... hier zit wat bloed.'

Hij pakt een fles van een schap met een of ander schoonmaakmiddel en maakt de kofferbak schoon.

Als hij klaar is, gaan ze naar binnen.

Nico pakt een fles met sterke drank, schenkt twee glazen vol en geeft er een aan Ricky.

'Drink leeg, dan voel jij je een stuk beter. Ze ligt daar op een plaats waar drugsverslaafden komen, die zullen haar vinden en de schuld krijgen en dan ben jij overal vanaf.'

'Hoe moet het nou verder?'

'Je bent toch al bezig met een nieuw liefje?'

'Dat wel ja...' antwoordt Ricky.

'Wees met haar wat voorzichtiger en stoom haar zo snel mogelijk klaar voor ons. We kunnen nog wel een jong ding gebruiken,' zegt Nico om Ricky wat op te vrolijken.

'Ik zal de open haard aandoen en de foto's en films van Regina verbranden. We moeten geen bewijs achterlaten. Heb jij thuis nog spullen die gevaarlijk kunnen zijn?'

'Nee...' antwoordt Ricky die nog wat stil is, al heeft hij een glas sterke drank op.

Een zwerver die de nacht doorbrengt in een van de fabriekshallen heeft alles zien gebeuren. Als de auto met de twee mannen verdwenen is, sluipt hij naar de plaats waar de mannen het lichaam neergelegd hebben.

Hij tilt voorzichtig de deken op en ziet een nog jong meisje liggen. Hij voelt aan haar wang, die koud is, en ziet blauwe plekken en bloed op haar gezicht. Hij wil de deken weer over haar heen leggen en denkt dat ze vermoord is door die twee mannen, maar als hij nog een keer kijkt, schrikt hij. Twee ogen kijken hem aan en gaan dan gelijk weer dicht.

Hij gaat op zijn knieën bij haar zitten en schudt met zijn

vuile handen haar hoofd wat heen en weer, terwijl hij fluistert: 'Zal ik een dokter voor je halen?'

Hij krijgt geen antwoord. Ze ligt daar opnieuw als dood.

Hij rent zo snel als zijn benen hem dragen kunnen naar de weg en houdt de eerste de beste auto aan en vertelt wat hij gezien heeft. De man in de auto zegt: 'Stap maar in, dan rijden we naar het politiebureau'. De zwerver stapt snel in en ze rijden naar het dichtstbijzijnde politiebureau.

De agent die dienst heeft ziet ze komen: een nette man en een vuile zwerver. Een man, netjes gekleed, met een zwerver die er niet zo schoon uitziet.

'Deze man wil u wat vertellen. Hij heeft mij op de weg bij het industrieterrein aangehouden,' zegt de man die met de zwerver naar het politiebureau is gegaan.

'Zeg het maar.'

'Nou... ik lag daar te pitten en toen kwam er een auto naar binnen en twee mannen. Ze legden iets onder een deken tegen een muur van de hal. Toen ze weg waren, ging ik even kijken en dacht dat het een lijk was... een nog jong ding... toen schrok ik mij rot... ze keek mij aan. Ze leeft nog. Die kerels hebben zich volgens mij vergist,' legt de zwerver uit.

'Oké... ga daar maar even zitten,' zegt de agent terwijl hij eerst de namen van de twee mannen noteert.

Dan komen er twee agenten die vragen of ze met hen mee willen gaan en hun de weg willen wijzen.

Ze stappen in de politieauto die hen brengt naar de hal waar Regina moet liggen.

De agenten halen de deken weg en schudden haar wat heen en weer. Ze voelen haar pols en met zijn mobiel roept een van hen snel een ambulance op.

Binnen een kwartier ligt Regina in het ziekenhuis. Ze maken haar wonden schoon en leggen haar in een warm bed.

De zwerver en de andere man mogen nog even kijken bij haar, dan gaat ieder zijn eigen weg. Zij weten niet hoe het meisje heet.

De politie wacht tot ze weer is bijgekomen en een arts toestemming geeft om met haar te praten.

Ze slaapt de hele nacht. 's Morgens, als ze wakker wordt, schrikt Regina, maar ze heeft al snel door dat ze in een ziekenhuis ligt.

Een verpleegster komt haar kamer binnen en lacht vriendelijk tegen haar.

'Goed geslapen?'

Regina knikt.

'Heb je pijn?'

'Een beetje…'

'Waar?'

'Mijn rug…' Ze voelt gelijk aan haar gezicht en merkt dat er verband om haar hoofd zit en pleisters op haar gezicht.

'Hier heb je wat pillen, die helpen goed tegen de pijn. Heb je honger?'

Regina schudt haar hoofd en als de verpleegster ziet dat er tranen over haar wangen lopen, gaat ze bij haar zitten en vraagt terwijl ze haar hand vasthoudt: 'Wat is er allemaal met je gebeurd?'

'Nee…'

'Wil je er liever niet over praten?'

Regina schudt haar hoofd met angstige ogen.

'Toch wil ik graag je naam weten…'

Zachtjes noemt Regina haar naam. De verpleegster vraagt waar ze woont. Regina haalt haar schouders op.

'Heb je geen vaste verblijfplaats… of ben je bang voor je vriend of man?'

Regina kan niet uit haar woorden komen en huilt steeds weer opnieuw.

Dan komt er een agent in burger bij haar bed.

Hij kijkt haar vriendelijk aan en vertelt haar waar ze haar vannacht hebben gevonden en hoe het komt dat ze nu in het ziekenhuis ligt.

'Regina... ze dachten dat je niet meer leefde, volgens mij. Ze hebben je daar in die loods neergelegd en zijn ervandoor gegaan. Het waren twee mannen. Weet jij wie dat waren?'

'Nee... nee, ik wil niets meer met ze te maken hebben... ze moeten mij met rust laten...' antwoordt Regina overstuur.

'Je hoeft niet bang te zijn. Ze wilden je vermoorden. Zulke mannen mogen niet vrij rondlopen. Je moet ons helpen, Regina...'

Dan vertelt Regina alles...

Hoe ze verliefd werd op Ricky, dat ze het fijn hadden, maar dat hij haar later dwong tot prostitutie en dat ze slaag kreeg toen ze weigerde mee te werken en hoe ze begon als fotomodel en dat ze die laatste avond een vriend in elkaar hebben geslagen en later haar. Verder weet ze niks meer.

De politieman legt zijn hand op haar schouder en zegt: 'Arm kind... je hebt geluk gehad... Hoe heet die vriend die voor het raam stond en later in elkaar is geslagen?'

'Evert...'

'Evert wat?'

'Evert Vonders...'

'Wist hij dat jij daar zat?'

'Dat weet ik niet...'

'Heb je ook zijn adres?'

Regina noemt zijn adres.

'Goed zo... je moet niet bang zijn. We kennen die lieve

jongens die jullie het hoofd op hol brengen en je later als een slaaf behandelen of nog erger.'

Regina is helemaal op en sluit haar ogen als teken van vermoeidheid.

'Ga maar lekker slapen, ik kom nog wel langs om bij je te kijken hoe het met je gaat... nu vooral niet meer bang zijn. Ze zullen je nu wel met rust laten,' zegt de politieman geruststellend, terwijl hij met zijn hand voorzichtig over haar schouder gaat.

Regina reageert er niet op. Ze is helemaal leeg. Het lijkt of ze alles eruit heeft gegooid van de laatste weken, tegenover deze man die naar haar wilde luisteren als een vader. Ze voelt zich erg moe. Ze heeft het gevoel dat er boeien van haar zijn afgevallen en dat ze nu weer vrij is en niet alles meer alleen hoeft te dragen. Die man heeft alles meegenomen wat zij de laatste dagen heeft moeten dragen.

Voorzichtig gaat een verpleegster bij haar kijken.

'Regina, gaat het?'

Regina opent haar ogen en knikt.

Ze krijgt nog wat rustgevende pillen en slaapt dan de slaap der gerusten.

20

De volgende morgen, als Evert wakker wordt na een korte nachtrust, doet zijn hele lichaam pijn. Hij kan moeilijk uit bed komen. Voorzichtig gaat hij naar beneden, waar zijn moeder hem opwacht met het ontbijt.

'Heb je veel pijn… heb je nog wat kunnen slapen?'

'Het gaat wel…' antwoordt Evert met een wat pijnlijk gezicht.

'Was nog wat in bed gebleven.'

'Nee… het is al laat.'

'Je bent toch zeker niet van plan om te gaan werken.'

'Waarom niet?'

'Je kunt amper lopen.'

'Stage lopen in het ziekenhuis is niet zo zwaar. Ik red het wel, als ik maar eenmaal in beweging ben.'

'Niks ervan… ik bel het ziekenhuis en meld je ziek. Jij gaat nu ontbijten en ik bel het ziekenhuis,' zegt zijn moeder kordaat.

Evert gaat in een stoel zitten en als hij zit, lijkt het of hij nooit meer uit de stoel zal komen. Het lijkt of al zijn ribben zijn gebroken.

Tegen tien uur gaat de bel. Elly gaat naar de deur. Ze ziet een onbekende man voor de deur staan. Ze doet niet direct open, na het geval met haar zoon is ze wat voorzichtiger. Ze opent het kleine raampje in de deur en vraagt: 'Wat kan ik voor u doen?'

'Ik kom voor uw zoon, mevrouw. Is hij thuis?'

'Wat moet u van hem?'

'Ik ben van de politie.'

'Dat kan iedereen wel zeggen tegenwoordig en voor je het weet heb je een misdadiger in je huis.'

'U heeft groot gelijk, mevrouw.' Hij laat zijn identiteitskaart van de politie zien.

'Het zegt mij nog niks, maar komt u maar binnen.'

'Dank u...' De man volgt haar naar de woonkamer waar Evert nu languit op de bank ligt.

Evert wil gelijk rechtop gaan zitten, als hij een vreemde man binnen ziet komen.

Die geeft Evert en zijn moeder een hand en stelt zich voor als inspecteur Van Welder.

'Gaat u zitten... mag ik u een kopje koffie aanbieden?'

'Graag mevrouw, dank u.'

Van Welder gaat tegenover Evert zitten en ziet dat Evert af en toe een pijnlijk gezicht trekt, terwijl ook zijn gezicht beschadigd is.

'Heeft u vannacht nog wat kunnen slapen?'

'Dat gaat wel...'

'Dat was vannacht goed fout, hè?'

'Wat weet u daarvan?'

'Dat is een heel verhaal, Evert... mag ik je bij je voornaam noemen?'

'Graag...' antwoordt Evert wat verbaasd.

Elly zet bij ieder een kopje koffie neer en gaat zelf aan de tafel zitten.

'Ze hebben u vannacht goed te pakken gehad?'

'Dat is zo, ja...'

'U komt daar toch niet vaker?'

'Ik...?'

'Ja...?'

'Nee... nee, dat niet,' antwoordt Evert met een kleur.

'Dat dacht ik wel. Het is daar niet zo'n beste buurt, maar wat had u daar te zoeken?'

Evert kijkt zijn moeder wat verlegen aan en zegt dan eerlijk: 'Ik ben op zoek gegaan naar een kennis.'

'En u dacht die daar te vinden?'

'Nou ja... eerlijk gezegd nee... ik ben hen van hun flat af gevolgd en kwam toen daar terecht,' zegt Evert, die merkt dat deze man meer weet van het geval.

'U zocht Regina Vernoot,' zegt Van Welder, terwijl hij Evert aankijkt.

'Ja... hoe weet u dat?'

'Ze ligt nu in het ziekenhuis en vertelde mij over u.'

'Regina... ligt Regina in het ziekenhuis... wat is er met haar gebeurd?'

'Ze heeft jou herkend en heeft toen moeilijkheden gekregen.'

'Maar die mannen kwamen mij achterna en sloegen mij in elkaar...'

'Dat klopt. Regina heeft ons ongeveer hetzelfde verteld. Ze hebben haar lelijk mishandeld en haar in een loods als oud vuil achtergelaten. Ze had geluk dat er een zwerver in die loods was die ons heeft gewaarschuwd heeft,' legt Van Welder uit.

'Hebben ze haar... waarom zat ze daar?'

'Dat is een goede vraag, jongen.'

'Die vriend van haar, die Ricky, weet er meer van.'

'Dat klopt. Ze heeft mij alles verteld en ze is er niet alleen lichamelijk slecht aan toe, maar ook geestelijk.'

'Toch begrijp ik nog steeds niet waarom Regina daar achter zo'n raam zat...'

Van Welder neemt een slok koffie en kijkt van de zoon naar de moeder en vraagt: 'Ben jij nog verliefd op Regina?'

Evert buigt zijn hoofd en knikt.

'Ze hield van die Ricky, dat wist je toch?'

'Dat wel, ja… maar die vent deugde niet.'

'Je kon haar niet overtuigen en wist ook niet zeker wat die Ricky in zijn schild voerde?'

'Nee… ze hadden wel veel geld. Hij had een dure sportwagen en zij droeg dure kleding. In het begin kon ik nog weleens met haar praten, al wilde ze niks meer met mij te maken hebben. Later kreeg ik de kans niet meer om haar alleen te ontmoeten. Hij bewaakte haar overal. Ze kwam niet meer alleen zijn flat uit en de laatste keer duwde hij haar in zijn auto. Ze hadden ruzie, dat zag ik wel, en toen ben ik hen gevolgd en kwam ik daar terecht.'

Van Welder haalt zijn blocnote te voorschijn waar iets op staat genoteerd. Hij schrijft er nog wat bij en vraagt: 'Ken je haar ouders?'

'Ja…'

'Ze durft niet meer met haar ouders te praten en ze wilde mij het adres van haar ouders niet geven. Ze gaf mij alleen het adres van jullie. Ze kon niet begrijpen wat jij daar moest zoeken.'

'Dat kan ik mij van haar voorstellen,' zegt Elly, die haar zoon aankijkt.

'U bent goed voor Regina geweest en ze is weer naar school gegaan en daar heeft ze toen Ricky leren kennen. Hij wachtte haar vaak bij de school op en maakte daar kennis met haar. Om kort te zijn: ze werd verliefd op die Ricky en liet jullie in de steek en ging bij die Ricky wonen.'

'Ja… ze was erg ondankbaar,' antwoordt Elly.

'Daar is ze behoorlijk voor gestraft,' antwoordt Van Welder.

'Weten haar ouders nog niks?'

'Ze is weleens met die Ricky bij haar ouders geweest en heeft daarna niks meer van zich laten horen.'

'Maar gaat ze dan nog met die vent?'

'Nee… ze weet nu het te laat is, wat zijn plan was.'

'Hoe bedoelt u?'

'Nooit van een loverboy gehoord?'

'Zo'n jongen die meisjes lokt zodat ze verliefd op hem worden en dan…' verder komt Evert niet.

'Inderdaad.'

'Maar… maar was Ricky een loverboy?' vraagt Evert verbaasd.

'Dat kun je wel zeggen, ja.'

'Dus daarom zat ze daar achter dat raam… hoe bestaat het…'

'Dat kind deugde gewoon niet… en mijn zoon is nog steeds gek op haar.'

'Ma…!' zegt Evert kwaad terwijl hij zijn moeder aankijkt.

'Ik heb je toch vaak genoeg gewaarschuwd. Wij hebben ons best voor haar gedaan. Ze heeft haar moeder laten zitten en later ons ook om zo'n stomme vent. Wat komt er van zo'n kind terecht? Ze is dan ook nog kwaad op haar moeder omdat die al na twee jaar is hertrouwd,' zegt Elly wat fel.

'Ik kom wel achter het adres van haar ouders, daar gaat het niet om. Ze schaamt zich voor haar moeder en die tweede man van haar moeder,' legt Van Welder uit.

'Het is ook niet niks,' zegt Elly.

'Nee… dat is het zeker niet. Toch zijn wij ervoor om deze kinderen verder te helpen. Het gebeurt te veel de laatste tijd. De jeugd krijgt tegenwoordig een te vrije opvoeding en dan is zo'n meisje een makkelijke prooi. Alles mag, ze hebben vaak moeilijkheden thuis en dan komt er zo'n jongen met mooie woorden. Ze zijn vaak al gewond in hun jeugd, zoals zij een vader die ze liefhad al vroeg moest verliezen en niet kon begrijpen dat haar moeder van een andere man kon houden. Nu begrijpt zij, dat ze het zelf nog erger gemaakt heeft, door van een jongen te gaan houden die haar alleen maar wilde gebruiken,' legt Van Welder uit.

'Ze had het goed bij ons en Evert nam haar vaak mee uit. Ze kon het niet beter hebben en eigenlijk heeft ze een schat van een moeder, die ons vaak belde en wat afhuilde om haar dochter. Ze heeft zelf veel kapotgemaakt. Nu ze met de brokken zit heeft ze ons weer nodig,' zegt Elly wat opstandig.

'U heeft natuurlijk gelijk... toch mogen we haar niet loslaten en moeten we haar wel een kans geven. Ze vraagt daar ook duidelijk om door jullie adres op te geven en niet dat van haar moeder. Ze kon ook niet begrijpen waarom Evert daar bij haar voor het raam stond en was daar erg van overstuur. Ze wist niet zeker of je om haar kwam of om die vrouwen.'

'Echt waar...?' vraagt Evert verbaasd.

'Als ik het goed heb, is er nog een klein plaatsje voor jou in haar hart, maar ze schaamt zich heel erg en wil ook geen bezoek ontvangen. Ze heeft jullie adres opgegeven in de hoop dat jullie haar kunnen vergeven en jullie ook zullen zorgen dat haar moeder het komt te weten wat er allemaal gebeurd is... Hoe denk jij daarover, Evert?' vraagt Van Welder.

'U bedoelt dat ik haar moet gaan opzoeken in het ziekenhuis om met haar te praten?'

'Dat niet alleen. Het lijkt mij ook verstandig dat wij samen naar haar ouders gaan en hun alles vertellen, want die weten niet anders dan dat hun dochter samenwoont met die Ricky en dat zij geld verdient als fotomodel.'

'Heeft ze u ook verteld dat ze fotomodel werd?' vraagt Evert.

'Ze heeft alles eruitgegooid. Ze voelde zich erg ellendig en ze voelde zich bedrogen en smerig tegenover jullie en haar moeder.'

'Maar wat kan ik daaraan doen?' vraagt Evert.

'Als wij eens samen met haar moeder gaan praten en haar alles vertellen wat ze mij heeft verteld? Zelf kan ze het niet en diep in haar hart rekent ze nog op jou. Jij bent haar immers gevolgd tot in het hol van de leeuw, door jouw toe-doen is ze die avond bijna doodgeslagen en wil ze niks meer met haar verleden te maken hebben. Ze wist ook dat ze jou mishandeld hadden.'

'Dus u wilt dat ik samen met u naar haar moeder ga?'

'Je bent er vrij in... ik ga er naartoe in mijn functie als politieinspecteur en zal haar vertellen dat haar dochter in het ziekenhuis ligt en dan zal Regina het zelf aan haar moeder moeten vertellen. Volgens mij rekent Regina erop dat jij het aan haar ouders vertelt. Mijn gevoel zegt dat ze nu helemaal op jou rekent,' zegt Van Welder ernstig.

'Oké... ik ga met u mee,' zegt Evert dan.

Evert stapt met moeite in de auto van Van Welder, omdat zijn hele lichaam nog pijn doet.

Evert geeft hem het adres en Van Welder ondersteunt hem als ze uit de auto stappen bij de flat van de moeder van Regina.

Als ze aanbellen en de deur opengaat, kijkt Thea ver-schrikt. Ze herkent een van de twee mannen die voor de deur staan en zegt: 'Evert, jij hier... is er wat met Regina?'

'Mogen we even binnenkomen, mevrouw?' zegt inspec-teur Van Welder. Ze volgen haar door de hal naar de kamer waar ook Arie zit. Ze geven elkaar een hand en stellen zich voor aan elkaar. Als ze horen dat Van Welder van de politie is, kijken ze bezorgd en denken gelijk aan Regina.

Ze zien dat Evert wat blauwe plekken en pleisters op zijn gezicht heeft en erg moeilijk loopt.

'Wat is er gebeurd… heeft Regina een ongeluk gehad?'

Dan vertelt Evert rustig wat hem die nacht is overkomen en daarna legt inspecteur Van Welder alles uit. Hij vertelt dat hun dochter nu in het ziekenhuis ligt en hoe dat allemaal in zijn werk is gegaan.

Thea raakt erg overstuur als ze dit alles hoort en snikt: 'Ik had beter nog wat kunnen wachten met hertrouwen… ze was er nog niet aan toe.'

'Zo mag u niet denken. Regina heeft gewoon de pech gehad dat ze die Ricky ontmoet heeft. Die jongens zijn erg slim en gaan zo te werk dat die kinderen er gemakkelijk het slachtoffer van worden. Ze zijn emotioneel afhankelijk. Het zijn meestal knappe jongens. Het begint vaak met een avontuurtje en ze komen dan terecht in een crimineel circuit. De jongens hebben door de macht van hun liefde de meisjes in de ban. Ze zijn als het ware in een web gevangen. Liefde maakt ze afhankelijk en kwetsbaar. Ze worden als het ware klaargestoomd voor de prostitutie. Ze kunnen op een makkelijke manier geld verdienen en het ook snel weer uitgeven. Ze moeten wel leren een knopje in hun hoofd om te draaien, maar daar gebruiken ze vaak pillen voor. Die snelle jongens beloven ze vaak veel. Ze worden, als ze weigeren, vaak mishandeld en bedreigd, gehersenspoeld en ingepalmd. Het is eigenlijk een moderne slavenhandel waar ze in terechtkomen. Meestal is er geen weg terug. Ze worden de slaaf van de loverboy.

De politie kan weinig doen tegen deze jongens. De meisjes gaan uit vrije wil. Meisjes op deze leeftijd zijn erg kwetsbaar en goedgelovig,' legt inspecteur Van Welder uit.

'U noemt nogal wat op, zijn er dan geen mensen die waarschuwen voor zulke jongens? Wij horen er hier voor het eerst van.'

'Ze gaan er op scholen nu meer aandacht aan besteden. Die jongens hangen vaak bij scholen rond en pikken daar hun slachtoffer op. De politie en de kinderbescherming werken met scholen samen op dit gebied en leggen uit hoe loverboys te werk gaan en hoe de meisjes zo in de prostitutie terechtkomen.'

'Maar vraagt Regina niet naar ons?' vraagt Thea.

'Ze schaamt zich erg. Ze heeft spijt van alles, maar kan het nog niet onder woorden brengen,' antwoordt Van Welder.

'Wat gebeurt er met die Ricky?' vraagt Arie kort.

'Die kunnen we alleen maar ondervragen over het mishandelen van Evert en uw dochter.'

'Dus niet over het feit dat hij kinderen tot prostitutie aanzet?'

'Dat lukt niet zo makkelijk. Ze zeggen gewoon dat de meisjes het zelf wilden om geld te verdienen. Het is erg moeilijk om zulke gladde jongens te pakken. Ze werken meestal met z'n tweeën of nog meer mannen. We moeten voorkomen dat ze meer slachtoffers maken en dat ze niet nog meer van zulke kinderen inpalmen. Ze vernielen het leven van nog jonge meisjes. Uw dochter heeft nog geluk gehad. Meestal komen ze van die jongens niet meer af en worden ze steeds opnieuw lastiggevallen. We weten van meisjes die onder moesten duiken omdat ze bedreigd werden. Soms ook de familie. Het is niet niks waar ze in verzeild raken. Het is veel erger dan de mensen eigenlijk beseffen. Vaak hoor je mensen zeggen: 'Het zal allemaal wel wat overdreven zijn. Die meisjes willen het toch zelf." Behalve als het hun eigen dochter betreft. Dan zijn er nog van die mensen die zeggen: 'Het is maar goed dat zulke meisjes er zijn, anders worden er nog meer vrouwen verkracht. Mannen die naar een prostituee gaan zullen niet zo gauw een vrouw verkrachten. Wij mensen oordelen te snel zolang het ons niet aangaat,' zegt inspecteur Van Welder.

'Kunnen we niet naar het ziekenhuis gaan…?' snikt Thea die steeds aan haar dochter moet denken en aan wat ze allemaal heeft moeten doorstaan.

'Het lijkt mij beter dat ze eerst wat tot zichzelf kan komen.'

'Als ze maar weer naar huis komt…' snikt Thea.

'Dat zult u moeten afwachten,' antwoordt de inspecteur.

Na een paar dagen zoekt Evert Regina op. Regina schrikt als ze Evert ziet en laat haar hoofd uit schaamte zakken; ze durft hem niet aan te kijken.

'Dag Regina…'

Ze geeft geen antwoord.

Evert pakt een stoel, gaat naast haar zitten en legt zijn hand op die van haar. Het wordt haar te veel en ze snikt: 'Nee… nee…'

'Het komt heus wel goed met je, Regina…'

'Nee… ik ben het niet meer waard… je weet niet wat het is om…'

'Toch wel, Regina… het lijkt mij heel erg voor jou…'

Ze kijkt Evert aan en vraagt: 'Kun je zo iemand als ik ben wel vergeven?'

'Regina, eerlijk gezegd… ben ik toen heel erg geschrokken en kon ik het allemaal niet zo goed begrijpen, maar binnen in mij is er iets wat zegt dat ik niet over jou mag oordelen en je moet vergeven…'

Dan gaat Regina staan en zegt: 'Ik mag vandaag naar huis van de arts...'

'Zal ik je dan naar huis brengen?'

'Als je dat wilt graag...'

'Zeker weten,' zegt Evert, terwijl hij helpt wat spullen in een tas te doen.

Regina stapt bij Evert in de auto. Als ze dicht bij het kerkhof zijn vraagt ze of hij wil stoppen.

Ze stapt uit de auto en loopt het kerkhof op. Ze blijft bij het graf van haar vader staan en valt op haar knieën en huilt als een klein kind, terwijl ze steeds opnieuw roept: 'Papa... papa...' totdat ze een hand op haar schouder voelt en Evert haar overeind helpt en haar meeneemt naar zijn auto.

Hij stopt voor de flat van haar ouders. Ze blijft in de auto zitten en kijkt hem angstig aan.

'Heb je er moeite mee... ga je liever naar mijn moeder?'

Ze schudt haar hoofd en stapt uit de auto.

Als de deur van de flat opengaat, valt ze in de armen van haar moeder. Ze huilt tot ze geen tranen meer heeft en dan gaan ze samen naast elkaar op de bank zitten. Arie schenkt voor hen koffie in.

Het blijft een tijdje erg stil. Dan zegt Evert: 'Zo, ik zal weer eens gaan.'

Regina staat op van de bank en loopt met hem mee naar de buitendeur en vraagt: 'Evert... kom je mij nog een keer opzoeken...?'

'Alleen als jij dat graag wilt.'

'Heel graag, Evert...'

Hij pakt haar hand en fluistert: 'Mijn liefde voor jou is er nog steeds, Regina... als je nog van mij kunt houden?'

'Ik heb het niet verdiend, Evert... je bent te goed voor een meisje zoals ik... Je kunt beter een ander meisje zoeken dat niet zo is als...' verder komt Regina niet. Evert neemt haar in zijn armen en zoent haar op haar lippen en gaat dan weg zonder wat te zeggen. Er lopen tranen over zijn wangen... Hij weet dat Regina van hem houdt... en hij weet dat hij niet zonder haar door het leven kan... Hij voelt zich gelukkig, ondanks alles wat hij heeft doorstaan.

Regina gaat zonder wat te zeggen naar haar kamer en gaat op haar bed liggen. Ze sluit haar ogen en dankt de Heere God dat Hij ondanks zoveel zonde van haar kant toch nog mensen geeft die van haar houden en zelfs een jongen die echt om haar geeft... ze weet dat ze het niet verdiend heeft, maar voelt dat de genade van de Heere God genoeg is.

Haar moeder komt bij haar kijken en vraagt of het goed gaat.

'Ja ma... ik weet dat het allemaal mijn schuld is en vind het fijn dat ik weer een lieve pa heb gekregen in Arie...'

'Wil je hem dat zelf ook zeggen, Regina...?'

Regina staat op en loopt naar Arie die in de kamer zit. Ze geeft hem een zoen en zegt zachtjes: 'Pa, kunt u mij ook vergeven...'

Arie geeft geen antwoord, maar omhelst zijn kind en hun tranen van pijn en blijdschap vermengen zich.

Als hij haar loslaat en haar aankijkt met betraande ogen, zegt hij: 'Wil jij mijn dochter zijn?'

'Ja pa... het is goed.'

Dan loopt ze terug naar haar moeder en zegt: 'U heeft voor mij een lieve vader uitgezocht, maar mijn echte vader zal ik nooit vergeten...'

'Dat begrijpen wij heel goed, kind, en dat mag ook...' antwoordt Thea geëmotioneerd.